JN066848

赤川次郎

七番目の花嫁

実業之日本社

実業之日本社文庫

目次

七番目の花嫁

プロローグ

「来たね、本当に」

ホッとしたように彼が言った時、広田佐千子《ひろたさちこ》は、少し怒った顔をして見せた。

「まだ私のことを信じてないのね」

「いや、そういうわけじゃないんだよ。しかしね……」

前川伸之《まえかわのぶゆき》は言葉を曖昧《あいまい》にしたままで、「ともかく、来てくれて嬉《うれ》しい。それは本当のことだよ」

「分ってるわ」

広田佐千子は、前川の腕に自分の腕をからめた。

「行きましょうよ」

ごく当り前の、恋人同士。その待ち合せの光景である。

少し、当り前でない——といっても、そう風変りというほどでもないと思うが——点があるとすれば、男の方がもう髪も少し白くなりかけた、四十代も半ばの紳士で、女の方が二十代半ば、という、年齢の開きぐらいであろう。しかし、女性の方がその点に気をつかってか、少し地味なスーツ姿だったので、二人がそうアンバランスなカップルに見えなかったのも、不思議ではない。

——既に秋風が涼しくなり始めた、九月の終り。腕を組んだ二人が道を行くにも、いい季節だった。

広田佐千子は、二十六歳。大学を出てから、しばらくは、家庭教師だの翻訳だのの仕事をして、家からあまり出なかった。

それは一人っ子の佐千子を、外へ出して、「変な虫がつくと困る」という両親の意向でもあったのだが、佐千子は生来独立心の強い性格だった。

二十四歳の時、両親を説き伏せて、ある会社に就職——というより勝手に受けて、合格してから両親に話したのだった。結局、親も折れて、佐千子は会社の秘書室に勤めることになったのだが……。

「今日はどこに行くの?」

と、歩きながら、佐千子は訊《き》いた。

「知っている店だ」

と、前川が答える。

「いやよ、この前みたいに、オモチャ屋さんなんかに連れていかれるのは。ムードも何もないんだから」

「大丈夫だよ。ファッションの店だ」

と、前川が笑って言った。

「あら、すてき。服でも買ってくれるの？」

「どうするかな。君の気に入った物があればね」

と、前川は肩をすくめる。

「どんなモードなの？　パリ風、イタリア風？」

「ウェディングドレスの専門店だ」

佐千子がピタリと足を止める。――前川が、ちょっと笑った。

「気に入ったのがあると思うよ、きっと」

と言った。

「ひどい」

と、佐千子は言った。

「何が？」

「いきなりそんなこと言って！」

「いや、わざとびっくりさせるつもりじゃなかったんだよ。前もって話すのが怖かったんだ」

「私――」

と、言いかけて、佐千子は言葉を失ってしまった。

もちろん嬉しかった。幸福だったのだ。そう言うには、あまりに胸に迫るものがあって――いきなり、佐千子は前川にキスした。

「――クウーン」

「よくやるわねえ、道のど真中で」

と、神田聡子《かんださとこ》が言った。

「え？」

ちょっと考えごとをしていた塚川亜由美《つかがわあゆみ》は、聡子に言われて、道へ目をやった。

「キスしてるだけじゃないの」

「だって、外人じゃあるまいし。珍しいよ、昼間の人目のある所で」

「やくな」

「誰が！」

「クウーン」

ドン・ファンも、楽しげに（？）その恋人たちを眺めている。

ドン・ファンはおなじみダックスフントの名犬で、塚川亜由美はその飼主。神田聡子は、亜由美の親友である。

二人とも女子大生だ。――もちろん、二人というのは、亜由美と聡子のことである……。

――ちょっとヨーロッパ風に、店を中から開け放して道にはみ出すように作られたカフェテラスで、三人はティータイムと洒落《しゃれ》ていた。だからドン・ファンも亜由美の足下でのんびり寝そべっていられたのである。

いつも、店の表につながれて、「犬と思っていない節のある」ドン・ファンは常に、不満を表明しているからだ。

「でも少し年齢《とし》の離れたカップルよ」

と、聡子が言った。「男の方は四十代半ばなのに、女はどう見ても三十そこそこ」

「もっと若いわよ。ああいう格好してるからそう見えるけど」

いつも、「探偵ごっこ」にこっている亜由美としては、そういう観察眼も大分備わって来たのだ。時として「ごっこ」でなくなって、危い目にあうこともあるが、しかし、こういう呑気《のんき》で楽天的な人間は、めったなことじゃ死なないものなのである。

「あら、こっちへ来る」

と、聡子は声を低くして、「いやねえ」

「いいじゃないの。どうしていやなの？」

「目の前でベタベタされると頭に来るじゃない？」

しかし、その心配はなかった。

亜由美たちの隣のテーブルについたその二人は、いとも爽《さわ》やかな感じで、メニューを見て飲物を注文すると、

「そうだ」

と、男の方が腕時計を見て、「電話をかける所があった。――ちょっといいかい？」

「戻るのが遅かったら、あなたの分も飲んじゃうわよ」

と、女の方が言って笑った。

「――なかなかすてきな中年じゃない」

と、聡子の方は、電話を捜して、店の奥へ入って行く男を見送っている。

「何だか、意見が変ったんじゃない？」

と、亜由美が言ってやると、聡子はとぼけて、

「ちっとも。ベタベタするといやだ、って言っただけで、別に当人がいやだって言ってないもん」

と、言い張っている。

「女の人の方も、なかなかお嬢様風よ」

「ワン」

「ドン・ファンの好みらしいわ」

「この犬、女の子なら誰だっていいんじゃないの」

と、聡子が言うと、ドン・ファンは心外、と言いたげに、ウーンと唸《うな》った。

「わ、ごめん！　取り消す。お前は趣味がいい！」

「クウーン」

何ともいい加減なもんである。

一人で残ったその女性――ドン・ファンの鳴き声に気付いて、

「あら、可愛《かわい》い。――何ていうの？」

と、声をかけて来た。

「ドン・ファンです」

と、亜由美が答える。

「ワン」

「さすがに二枚目ね」

「気を付けて下さい」

と、聡子が注意した。「うぬぼれの強い犬ですから。すぐ女の子のスカートに頭を突っ込むんです」

「面白い！」

と、その女性は楽しげに笑った。

その笑いが、いかにも若々しい。

「——どうしたの、ドン・ファン？」

亜由美は、ドン・ファンがふと緊張しているのに気付いた。

カフェテラスだから、当然道を行く人が、テーブルのすぐわきをかすめることもある。

革のジャンパー姿の男が、足早にやって来ていた。その女性が一人でいるテーブルのわきをすり抜けるように——。

ドン・ファンが、びっくりするような素早い動きで、その男の前にパッと飛び出した。

「ワッ！」

その男がドキッとして飛び上った。何かが道に落ちて、金属音をたてる。

「ナイフだわ！」

亜由美が椅子《いす》をけって立ち上った。

革ジャンパーの男が、駆け出す。亜由美としても、追いかける気にもなれないほど、凄《すご》い勢いで、男は逃げ去ってしまった。

「——何ごと？」

と、聡子がポカンとしている。

ドン・ファンが、ナイフをくわえて来る。

「──あの男、刃を出したナイフを、ポケットに隠してたんだわ」

「危いじゃないの」

「そう、たぶん、通りすがりに、この店の誰かを──」

「私だわ」

と、隣のテーブルの女性が言った。

「というと……」

「私を殺そうとしたんだわ」

その女性はしっかりした調子で言った。

ショックを受けた様子でもない。

「何か狙《ねら》われる覚えでも？」

好奇心がうずいて、つい亜由美は訊《き》いてしまった。

「ええ」

と、その女性が肯《うなず》いて、「私が結婚するから」

聡子が、目をパチクリさせて、

「結婚すると殺されるの？」

と、言った。「じゃ、私、不倫するだけにしとこ」

「ワン」

と、ドン・ファンが鳴いて——。

これが今度の事件との出会いだったのである……。

1 青ひげ

「いや、本当に何とお礼を申し上げていいか……。どうぞ、いくらでも召し上って下さい！」

と、前川伸之は言った。

そう言われてもね……。亜由美も聡子も、食欲旺盛《おうせい》なことにかけて、人後に落ちるものじゃない。

しかし、三百グラムのステーキを平らげて、さらにチーズ、デザート、食後酒、と片付けるだけの胃袋は持ち合わせていなかった。

確かに、ステーキのおいしいことと言ったら……。これが、いつも学生食堂のカレーに入っているのと同じ「肉」という名で呼ばれるのは間違っている、と思えて来るほどだった。

その代り、カレーは二百円、このステーキは（ステーキだけで）、二万円！　これでカレーに文句をつけては可哀《かわい》そうというものである。

「無理よ」

と、広田佐千子が、前川をつついて、「あなたと同じ食欲を持ってる人なんて、そうざらにいやしないんだから」

ちなみに、佐千子は百五十グラム、と前川の半分のステーキだった。

亜由美と聡子は、多少遠慮したのだが、それでも二百五十グラム。しかし、前川の三百グラムには、とても及ばない。

聡子はフーッと息をついて、

「一年分の牛肉、一度に食べちゃった」

と、実感のこもった意見を述べた。

「本当にもうデザートはいらないんですか?」

そう言われても、ちゃんとアイスクリームを取っているのだ。前川は、アイスクリームに加えて、ケーキを二種類も食べているのである。

「三日に分けて食べられたらね」

と、聡子が呟《つぶや》いたのは、本音だったろう。

こうして亜由美たちが、前川にごちそうしてもらっているのは、もちろん広田佐千子の命を助けてくれたから、というわけだが、それを言うなら、一番の「功労者」はドン・ファンである。

しかし、ご心配なく。ドン・ファンも、レストランの中には入れなかったが、裏口の方で、人間様でもめったに食べられない肉に舌つづみを打っているはずである。

「私の会社に、彼女が入社して来たんですよ、この春」

と、前川が言った。「一目で、コロッと参ってしまいました」

「うまいこと言って」

と、佐千子は冷やかすように、「私が入社したころは、他の恋人がいたくせに」

「それは君を知らなかったからだ」

と、二人でやり合っている。

亜由美たちとしては、当てられるだけ馬鹿《ばか》らしい。

「でも、なぜ佐千子さんが殺されかけたんですか？」

と、亜由美は訊いた。

「それには、この人のあだ名のことから説明した方がいいと思うわ」

と、佐千子は言った。「この人はね、『青ひげ』って呼ばれてるの」

「へえ。――じゃもう何回も結婚してるんですか？」

「いや、たった三回」

聡子が目を丸くして、

「凄《すご》い！　私なんかゼロ」

「当り前でしょ。――で、奥さんを三人とも殺したんですか」

「まさか」

と、前川は笑って、「いや、面白い方だ」

「すみません。でも、飽きっぽいんですか、やっぱり」

「いや、むしろ子供っぽいといいますかね。いつも付合い始めると本気になってしまうんですよ。適当に遊ぶ、ということができなくて」

前川は、佐千子を見て、「しかし、この女《ひと》には、本気以上です。他の女性には目もくれませんよ」

「信じてるわ」

と、佐千子が楽しげに言った。

「じゃ、誰が――」

「それは分りません」

と、前川が言った。「大方、金で雇われた男でしょう。というより、殺すよりは、傷つけて、彼女が怖がって身をひくように仕向けたかったのだと思います」

「へえ。――でも、誰かがお金を出して、そうさせたわけでしょう?」

「前の妻たちの中の誰かだと思いますがね」

と、前川はアッサリと言った。

「私は、そんなことで怖がったりしないわ」

と、広田佐千子は言った。

亜由美には、どうもよく分らない。

「でも、三人とも、もう離婚なさってるわけでしょ？　前川さんが再婚されても、別に関係ないんじゃありませんか？」

「それがそうでもなくて」

と、佐千子が言った。「――ねえ」

「うん。困ったもんだ」

二人は顔を見合わせたが、亜由美にはさっぱりわけが分らない。

しかし――わけが分らなくても、ともかく食事が旨《うま》いことには一向に変りがなかったのである。

考えてみりゃ、この二人が結婚しようとしまいと、亜由美には何の関係もない。たまたま、ドン・ファンのおかげで、こんなおいしいステーキが食べられたのは、「もうけもの」というものである。

この「恋人同士」も、何となくそれ以上は話したくない様子だったので、亜由美も深くは訊《き》かないことにした。

「――お腹が苦しい！」

と、聡子が言った。

「しっかりしてよ。無理してデザートの追加なんかするから」

「だって、せっかくおごってくれる、って言うのに……。遠慮しちゃ悪いじゃないの」

聡子と亜由美は、レストランを出て（もちろん、ドン・ファンも一緒である）、ゆっくりと夜道を歩いていた。別に散歩しているわけじゃなかったのだが、ともかく、お腹が一杯で、早く歩けないのである。

「――でも、あの二人、何だかいわくありげね」

と、亜由美は言った。「すんなり結婚できるといいけど」

「どうでもいいや、他人の結婚なんて！」

と、聡子が素直に（？）言った……。

「――失礼します」

と、突然、すぐ後ろで声がして、

「キャッ！」

と、二人は飛び上った。

あれだけ食べて、体が重くなっているのに、よく飛び上ったものだ、と亜由美自身も感心した。

「どうも、突然ですみません」

と、その男は言った。「今、あのレストランから、前川伸之と一緒に出て来られたようでしたので」

五十代だろう、前川ほどでないにしても、なかなかきちんとした背広姿の、さしずめ大企業の部長クラスという雰囲気。

「ええ。――それが何か？」

「彼とお知り合いですか」

「というわけでも……。あなたは、失礼ですけど――」

「や、これはどうも」

と、反射的、という仕草で名刺を取り出して、「こういう者です」

「広田友作《ゆうさく》……。広田？」

「一緒にいた、広田佐千子の父です」

「ああ、そうですか。――で、何か私たちにご用ですか？」

「ちょっとうかがいたいことが……。よろしければその辺の喫茶店にでも――」

「結構です！」

と、亜由美と聡子は同時に叫んだのだった……。

「――じゃ、ご両親は反対されてるわけですね」

「そうです。当然でしょう?　相手は三回も結婚離婚をくり返している、『青ひげ』というあだ名のある男です」

ま、父親として反対したい気持は、亜由美にもよく分る。

「じゃ、それで、後を尾《つ》けているんですか、いつも?」

と、聡子が訊いた。

――もう紅茶一杯も入らない、というので、亜由美たちは、手近な公園で話をすることにしたのだった。

九月の末の、涼しい夜。で、薄暗い公園、と来れば、もうアベック天国である。

何とか空いたベンチを見付けて、腰をかけたものの、並んだ他のベンチでは、アベックがピッタリ寄り添い、肩を組んだり抱き合ったり……。

何となく、しみじみ話をするというムードではなかった。

「いつも尾けるほど、時間はありません」

と、広田は言った。「私も仕事があって、忙しい身ですからね」

「そうでしょうね」

「ですから、私がだめな時は妻が代りに尾行してます。かなり腕を上げましたよ」

亜由美はびっくりしてしまった。

確かに、娘のことが心配だという気持はよく分るが、しかし何といっても、佐千子はもう二十六歳だというのだ。十七や十八の娘ならともかく、親が尾行までして心配するというのも、妙な気がする。

「でも――佐千子さんがどうしても前川って人と結婚する気なら、仕方ないんじゃありませんか」

と、亜由美は言ってやった。「力ずくで止めるわけにいかないんだし」

「いや、何としても阻止します。全国的に署名運動を起してでも――」

オーバーねえ。要するにこれも「親馬鹿」の一人なのだろう。

「で、私たちに何をお訊《き》きになりたいんですか？」

「ご相談です」

と、急に広田は声を低くした。「あなた方は前川と親しいようだ」

「特別親しいってほどでも――」

「ともかく、向うはあなた方を信用していますね」

「ええ……。そうでしょうね」

「前川とお茶を飲んで下さい」

「は？」

「その時、前川のお茶に、これを入れてほしいんです。こっそりと」

広田は、ポケットから小さな紙の袋を取り出した。

「ダイエットシュガーですか」

「ダイエットの必要もなくなります。一分以内にコロッといきますから」

「コロッと——」

亜由美は絶句した。「じゃ、それ……毒ですか」

「ええ。苦労して手に入れたんです」

と、広田は自慢げに言った。「高かったんですよ！　下手《へた》すりゃ車一台でも買えるくらいしました」

「あのですね」

と、亜由美は言った。「そういうことをすると、警察に捕まって刑務所へ行くんですよ。ご存知ですか？」

「もちろんです。でも、見付からなきゃ大丈夫」

「そりゃそうですけど」

「あなたには前川を殺す理由がない、だから大丈夫ですよ」

広田の言葉は、とても大企業の部長のものとは思えないほど安直なものだった。

「——聡子、帰ろ」

亜由美は立ち上って、「広田さん。ご忠告しておきますけど、早くそのお薬を捨てた方がいいですよ」

　と、言ってやった。

「だめですか」

「当り前でしょ」

「仕方ないな」

と、広田は呟《つぶや》いた。「それじゃ、自分でやるしかないか……」

——全く、一人娘のことになると、父親はああもおかしくなってしまうのか！

亜由美はドン・ファンを連れて家に帰りつくと、

「——ただいま」

と、上って、「お母さん」

「あら、亜由美、どうしたの？」

と、母親の清美が、居間で雑誌をめくっている。

「うん、ちょっと夕ご飯をごちそうになったの。電話しようと思ったけど、何となく機会がなくて」

「でも、どうして帰って来たの？」

　亜由美が面食らって、

「帰って来ちゃいけなかった？」

「そうじゃないわよ。でも、こんな時間まで帰らないから、きっとあなたも男の子とホテルにでも行ったんだろうと思って……。お父さんと、良かった良かった、って話してたのよ」

こういう親も珍しい。

「あのね、私、そんなにもてませんの」

と、亜由美は言ってやった。

「それはアニメを見ないからだ」

と、父親が、居間に入って来て、言った。

「へ？」

「アニメの中にこそ、純粋な愛の美しさがある。それを知らんお前は、愛を信じる心を持っていないのだ……」

亜由美の父親は、技術者なのだが、家ではＴＶアニメの大ファンで、いつも少女向けアニメを見て泣くのが趣味という人なのである。

「お好きなように」

亜由美は、「ドン・ファン、行こう」

と、促して、二階へと上って行く。

「その内、駈《か》け落ちして、びっくりさせてやる！」

と、亜由美は呟いた。

ただ問題は、相手がいない、ということと、両親が全然びっくりしないかもしれないということだったのだ……。

2　前妻連盟

亜由美は大学生である。

当然のことながら、平日は大学へ出かけて（？）勉強もしているのだった。で、この日は平日で、亜由美も学ぶ喜びに身をゆだね、ゆだね過ぎてくたびれたのか、芝生でゴロ寝して、居眠りをしていた……。

天気もいいし、気候も暑からず寒からず。お昼を食べて、お腹も一杯、となっては、眠くなっても無理はない。

午後になって――ということは、当然、講義も始まっているのだが――芝生で平和に眠っていた亜由美の方へと、三人の女性が、歩いていた。

いや、それは歩いていた、というより、「行進していた」といった方が正確かもしれない。足早に、かつほとんど自然に足取りが揃《そろ》う、という感じなのである。

「――この子？」

と、一人が亜由美を見下ろして言った。

「そうらしいわ」

「何だか、口あけて寝て、馬鹿《ばか》みたい」

「そうね、あんまり利口そうじゃないわ」

三人で勝手なことを言い合っている。

何よ……。大きなお世話だ！

半分眠りつつ、その話を聞いていた亜由美は、何とか目を開けて、

「——誰？」

と、起き上った。

目をパチパチやって——焦点が合っても、亜由美はしばらく目をこすっていた。目がおかしくなったのかと思ったのだ。

「塚川亜由美さんね」

と、一人が言った。

「はあ」

「私は、前川和子《かずこ》」

「私は前川美奈《みな》」

「私は前川房江《ふさえ》」

三人が続けて名乗ったが、そんなに憶《おぼ》えられやしない。

「あ、あの……」

と、亜由美は立ち上って、「何か、トリオで歌でも歌っておられるんですか？」

「何ですって？」

「いえ、あの——何のご用でしょう？」

もう一度三人は名乗った。

一番年長の和子が、四十代、美奈が三十代の半ば、房江が若くて、三十かそこいら、というところだろう。

三人とも、どことなく似た印象はあるが、しかし姉妹という感じじゃない。着ている物は上等で、和子だけがメガネをかけている。

美奈は、少し派手な感じの女で、房江はやや太っている。

何にしてもいいトリオだ。

「前川？」

と、亜由美は気付いて、「もしかして、あの前川さんの……」

「そうです」

と、和子が言った。「私たちは、前川伸之の、元の妻です」

「三人とも？」

「ええ」

と、美奈が肯《うなず》く。

「三人で、〈前妻連盟〉というのを作っているんです」

と、房江が言った。

「〈前妻連盟〉?」

亜由美は目を丸くした。

三人で一緒に「ぜんざい」を食べよう、とかいうのだろうか? それなら「ぜんざい連盟」になりそうだが。

それにしても——少々意外な感じではあった。前川の三人の前妻たち、どの一人をとっても、少なくとも外見だけから言えば、格別に美人とかチャーミングという印象ではないのだ。

むしろ、どっちかといえば地味な感じで、その点、広川佐千子の方がずっと華やかである。

「ええと……。その〈前妻連盟〉さんが、どういうご用件でしょうか?」

と、亜由美は訊いた。

「正直にお話し願いたいんです」

と、一番年長の和子が、メガネをちょっといじりながら言った。

「正直に？」

「あなたと前川伸之が密会していたという情報が私どもの所へ寄せられたのです」

「密会？」

「事実ですか？」

「とんでもない」

と、亜由美は憤然として、「私が前川さんに会ったのは一度だけですよ。それも、あちらはフィアンセ同伴、こっちは友だちと一緒。食事をおごっていただきましたけど、それだけです」

三人の前妻たちは顔を見合わせた。

「――どう思う？」

と、美奈という女が言った。

「また、のせられたのかもね」

と、若い房江という女がからかうように、「和子さんは、すぐ飛びつくんですもの」

「どんな情報でも、可能性のある限りは当ってみる必要があるわ」

と、和子が言った。

「お金目当てに、またあの子がいい加減なことを言ったんじゃないの」

と、美奈が顔をしかめる。「大体あれは嘘《うそ》つきなのよ」

「そんなこと言ったって……。もし本当だったら?」

と、和子は顔をしかめる。

「失礼ですけど――」

と、亜由美は言った。「何のお話か存じませんが、ご用があるなら、早くおっしゃって下さい。忙しいんですから」

居眠りしてて、忙しいもないもんだが。

「では――」

と、美奈という女がハンドバッグを開けると、何だか写真を一枚取り出した。「これを見て」

「――前川さんですね」

前川伸之の写真である。少し前のものらしいが、なかなか魅力的にとれている。

「その写真を破ってみて下さい」

「え?」

「破ってみて」

と、和子が言った。「今、ここで」

「破りゃいいんですか?」

亜由美は肩をすくめて、「そんじゃ」

ビリッと写真を二つに裂いた。

「これでいいですか？」

三人は交互に顔を見合わせ、

「大丈夫のようね」

と、肯《うなず》き合った。

「——何が？」

亜由美はさっぱりわけが分らない。

「もし、あなたが前川のことを愛しているのなら、破る時に、一瞬ためらうはずだわ」

と、和子が言った。

「はあ」

「でも、今の様子なら大丈夫。そういうためらいは、全く見られなかったから」

変なの、と亜由美は思ったが、ただ肩をすくめておくだけにした。

「でも——」

と、亜由美は、破った写真を返して、「どうしてそんなに前川さんのことを気にするんですか？　もう別れちゃった人のことなんか……」

「別れても、私たちは彼を愛してるのよ」

と、和子が言って、他の二人へ、「ねえ」

「そう。あなたみたいな子供にゃ分らないでしょうけどね」

と、美奈が言った。

「三人とも、前川の姓を名乗ってるのでも、分るでしょ」

と、房江が肯いて、「みんな心では彼の妻のつもりよ」

へえ。――こうなると、ほとんど演歌のムードである。

「それじゃ、お邪魔したわね」

と、和子が言った。「ゆっくりおやすみなさい」

いやみだ。亜由美は、ちょっと顔をしかめた。

「一つうかがっていいですか」

と、亜由美は言った。「広田佐千子さんのことは、どう思ってるんですか」

「あの女とは結婚させないわ」

と、和子がアッサリと言った。

「でも、当人同士が決めることでしょ」

「取りやめになる理由は色々あるわよ」

と、房江が意味ありげに、「そう思わない？」

「でも――」

「そんなのは、あなたの知ったことじゃないでしょ。――さ、行きましょ」

和子に促されて、他の二人もゾロゾロとついて行く。

「――何だろね、あれ？」

亜由美は、何だか夢でもみてたんじゃないか、という気がした。

何だか変な気分。このままじゃ、講義に出ても、身が入らないだろう。

「そうだわ」

と、亜由美は力強く肯いた。「何か食べよう！」


学生食堂は当然のことながらもう空《す》いていて、のんびり食事しているのは、大学の職員とか、先生、それからさぼっている学生、というところである。

亜由美も、昼食はもうすませていたので、ケーキなどを選んで、テーブルへ運んで行った。

「塚川さん」

と、声がしたので、キョロキョロ見回してみると、少し離れたテーブルで、思いがけない顔が笑っている。

「殿永《とのなが》さん！」

亜由美は、セルフサービスの盆を手に、そのテーブルへ歩いて行った。「びっくりした！」

「どうも。――お元気そうですな、その食欲では」

「それ、誉めてるんですか？」

と、亜由美は言って、「お昼をここで？」

殿永は、カツカレーを食べていた。

「ええ。何しろ安いですからね、ここは」

「刑事さんがこんな所で食事してるなんて、何か事件かと思われますよ」

と、亜由美は言った。「それとも、本当に……」

「いや、事件というわけではありません」

と、殿永は首を振って、「今のところは」

と、付け加えた。

「やっぱり何か……？」

「そう嬉《うれ》しそうに喉《のど》を鳴らさないで下さいよ」

「失礼ね、猫じゃないんですよ」

文句は言いながら、亜由美としても、そう言われて仕方ないことは承知している。

「ともかく、あなたは事件に巻き込まれる天才ですからね」

「解決する天才と言ってほしいけど、ま、それが無理なのは認めます」

殿永は笑って、

「いや、あなたとお話ししていると、世の中が明るく見えて来ます」

「何だか馬鹿みたい、私……」

「お母様はお元気で」

「ええ。あの人は何があっても変りませんから」

亜由美はケーキをフォークで切りながら、「殿永さん、今度は何ですか?」

「前川伸之という男をご存知でしょう」

亜由美は目を丸くした。

「前川さんが、何か?」

「フィアンセの広田佐千子という女性について、殺される心配があるので、守ってやってくれ、という話で。――前川伸之は、かなりの実力者なんです。その頼みというので、私の方へお鉢が回って来たというわけです」

「へえ。じゃ、前川さんから私のことを?」

「先日、広田佐千子が殺されかけたのを、助けられた、とか」

「ええ。でも――はっきりそうとも言えないんですけど」

亜由美が話をすると、殿永は肯いて、

「なるほどね。すると、その時、前川伸之はその場に居合わせなかったんですね?」

「ええ。電話をかけに行くとか言って」

「そして革ジャンパーの男か……。しかし、その時、すぐに警察を呼んではいないわけだ……」

と、殿永は何やら考え込んでいる。

「あの——何かまずいことでも？」

「そうじゃありません。他に、何か気が付いたこととか——」

「あります。いくらでも」

「いくらでも？」

亜由美が、広田佐千子の父親のことを話すと、殿永は苦笑いして、

「何とまあ。父親の気持としても、少し行き過ぎですな」

「あの毒薬っていうの、本当かどうか知りませんけど、一応用心した方が……」

「早速当ってみましょう」

殿永は手帳を出してメモを取った。「まだ何かあるんですか」

「もっと凄《すご》いのが」

「もっと凄い？」

「〈前妻連盟〉です」

「何ですって？」

殿永が目をパチクリさせた。

——亜由美の話に、殿永は首をかしげた。

「するとその前妻トリオが、広田佐千子を狙《ねら》ってるんじゃないか、と?」

「少なくとも、そう取れるようなことを言ってました」

「ふむ……。しかし、別れても、三人の前妻が揃《そろ》って、そんなことをやっているというのも妙ですな」

「私もそう思いますわ」

「一つ、調べてみましょう」

と、殿永は肯《うなず》いた。「どうも、初めから妙な話だと思っているんです」

「妙って……。何のことですか?」

「前川が、『青ひげ』と呼ばれてるのは、ご存知でしょう?」

「ええ、本人もそう言ってました」

「確かに、青ひげと違って、彼は妻を次々に殺しちゃいません。しかし——ずっと若いころ、彼は一度結婚しているんです」

「じゃ……前妻が四人いるんですね」

「最初の妻が大変な金持だったんですよ。しかも、前川より二十も年上だった」

「二十も?」

「誰が見たって、財産目当ての結婚だったようです。しかし、妻の方には別に文句を言う血縁の人間もなかったので、特にもめごとにもならなかったんです」

「その最初の奥さんは？」

「死にました」

「まあ」

「結婚して一か月後。——前川は、莫大《ばくだい》な財産を受け継いだわけです」

「じゃ、あの人の会社というのは？」

「それは、自分で始めたものです。何しろまだ二十代半ばでしたからね、大金持になったのが。——それに、確かに才覚もあったんでしょう。今では自分で築いた財産の方がずっと上回っているでしょうが」

「初めの奥さんが亡くなったのは、どうして？」

「事故です。——ま、もともと心臓の丈夫な人じゃなかったようですが、二人で車に乗っていて、その車が谷底へ転落したんですよ」

「でも、前川さんの方は——」

「助かったのは奇跡でしょうね。しかし、奥さんの方の死因も、けがとかでなく、心臓発作だったんですよ」

「それじゃ、殺したというわけじゃ、ないんですね」

「自分も命がけですね、もし殺人なら」

亜由美は、ちょっと考えて、

「でも、殿永さん、そんなによくご存知なのは、やっぱり調べたんでしょ?」

「一応は」

と、殿永は肯いた。「しかし、殺人だとしても、もうとっくに時効ですしね」

「そうか……」

「これから起るとすれば、別ですがね」

殿永はあっさりと言った。

3　華やかな夜

「アルバイト?」

聡子は亜由美の話を聞くと、即座に、「いやだ」

と、言った。

「何よ、どんなアルバイトかも聞かない内に――」

「亜由美の話は、大体ろくなのがない。何かっていうと、すぐ殺人だの誘拐だの、色気なんか、まるでないんだから」

「お金になりゃいいんじゃないの」

「だって、命あってのお金ですからね」

と、聡子は言い返した。「ねえ、ドン・ファンもそう思うでしょ?」

「ワン」

――亜由美の部屋、ぐうたら寝そべりの場、である。

いつもいつも、ぐうたらしてるのが好きと思われても困るが、まあ事実なら仕方がないだろう。

「亜由美」

と、ドアが開いて、母親の清美が顔を出す。

「お母さん、ノック!」

「閉めたらするわ」

変な母親だ。「ね、ウェディングドレスはどのタイプにするの?」

聡子が、仰天した。

「亜由美ったら、親友の私を裏切ったのね! 黙ってこっそり結婚しようだなんて! やり方が汚ないじゃないの!」

と、わめいて、聡子は清美が目をパチクリさせているのに気付き、あわてて咳払《せきばら》いをした。

「あのねえ、聡子——」

「おばさん、すみません。つい取り乱して。別に、私としても亜由美に結婚しちゃいけないと言ってるんじゃないんですよ。そりゃ、先にさっさと結婚されたら、ちょっとは頭に来て、こん畜生、とか思うかもしれませんけど、でもそれは友情とは別のものので、相手の男を見たら、フン、こんなので我慢するの。可哀《かわい》そうね、とか、いやみの一つも言いたくなるのをじっとこらえるのが、永い間の友情の証《あかし》——」

「何を一人で焦ってんのよ」

「誰も焦ってなんかいない！」

と、聡子はむきになって、言った。

「じゃ、聡子さんも、ウェディングドレスの好きなタイプを選んだら？」

と、清美が言うと、聡子はムッとして、

「おばさま、それはないんじゃありません？　いくら私がもてないからって——」

「聡子、ちょっと落ちついて」

と、亜由美が必死になだめる。「これがアルバイトなのよ」

「アルバイト？」

「そう！　ウェディングドレスのショーがあるの。それにモデルとして、ドレスを着て出るのよ。そのアルバイトの話をしようとしてたんじゃないの」

「あ……。そう」

聡子は、少し間を置いてから、ハハハ、と笑って、

「そりゃそうね。変だと思ったんだ！　いくら何でも亜由美が結婚するなんて、ねえ。

――世の中、間違ってる」

「どこが！」

亜由美が今度はムッとしてかみついた。

「まあまあ」

と、清美が笑って、「その分なら、二人とも当分お嫁に行くことないと思うわよ」

ドサッと分厚いパンフレットを置いて、

「これが、今、届いたの。この中から選ぶんですって」

清美がいなくなると、亜由美と聡子は顔を見合わせて、笑い出した。

「――じゃ、やるよ」

と、聡子はパンフレットをめくった。「ずいぶんあるんだ、ウェディングっていっても……」

「凄《すご》いのもあるわ。これで豆電球つけたら完全にアイドル」

と、二人はパンフレットをめくって行く。

「――何も起らなきゃいいけど」

と、亜由美が言った。

「え？」

聡子が不思議そうに、「何も、って？」

「うん。――このショーに、例の二人も来るのよ」

「例の二人？」

「そう。前川伸之と、広田佐千子。――〈前妻連盟〉の三人が狙《ねら》ってるのよ、彼女のことを」

聡子は、ため息をついた。

「そんなことだろうと思ったよ……」

「ワン」

と、ドン・ファンが笑った（？）。

「で、何なの、その〈前妻連盟〉って」

亜由美は例の「前川トリオ」のことを話してやった。

「ふーん」

と、聡子は肯いて、「でも、何でその人たちが広田佐千子を殺そうとしたりするわけ？」

「そこが今一つ分んないのよ。殿永さんの調べてみたところでは、その三人が今でも前川伸之を愛していて、彼にふさわしくない女とは結婚させないようにするんだ、と協定を結んでるんだ、ってことなんだけど」

「そんなことって、ある?」

「私も、何か他に理由があるんじゃないかと思うのよね。それに、その三人の誰をとってみても、広田佐千子よりふさわしい、って感じの人、一人もいないんだもの」

「へえ。——でも、それじゃどうして前川って人はその三人と結婚したの?」

「そうなのよ」

亜由美もその点は不思議だった。もちろん、前川の好みの問題もあるわけだし、人間見かけだけじゃ分らないってこともあるのだが……。

しかし、人間、どう見ても「合わない!」ということがある。その点、あの三人、前川とは「ミス・マッチ」としか思えなかったのだ。

「でも、ともかくあの二人、どっちも危いわけね」

「そういうこと。前川伸之は広田佐千子の父親に、広田佐千子は前川の三人の前妻たちに狙われてる、ってわけ……」

妙な結婚だわ、と亜由美は思った。

もちろん、何もなくすめば、それにこしたことはないが、しかし……。

「——このアルバイトの話、どこから来たの?」

と、聡子がパンフレットをめくりながら、訊《き》く。

「殿永さんに、ちょっと口をきいてもらったのよ」

「このショーで何か起るっていうの？」

「もちろん、そんなことはない、と思うわよ。でも、万が一ってこともあるし……」

「その『万が一』が、亜由美の場合、たいていは本当のことになっちゃうんだよね」

と、聡子は理由あるため息をついた。

「まあ、ともかく、こっちが危い、ってことはないわよ」

亜由美としては慰めているつもりなのである。

「ね、どのドレスを着たい？」

「そうねえ、亜由美は？」

「聡子のいいのを選んで。私はそれ以外から選ぶから」

「少しは気をつかってるの、それでも？」

「とんでもない」

と、亜由美は言った。「大いに、つかってるのよ」

二人して、これはデザインが、あれは太って見える、とかもめていると、

「――亜由美」

と、母が顔を出す。

「お母さん、何？」

「今、電話でね、そのショーの企画した人から」

「何ですって？」

「他の人のが、どんどん決っちゃったんで、あと、番号の〈2〉と〈7〉と〈8〉しか残ってないんですって。その中から選んで知らせてくれってよ」

「なんだ。――じゃ、ほとんど選ぶ余地、ないじゃない」

「早い者勝ちですって。電話してほしいんですってよ」

「――お母さん」

と、亜由美は言った。「もしかして、それを初めから私に伝えるのを忘れてたんじゃないの？」

「お前、母親を疑うの？」

「忘れたに違いない、ってことを、疑わないわ」

清美はにっこり笑って、

「さすが！」

――亜由美としては、それ以上何も言えなかったのである……。

「――じゃ、どうする、亜由美？」

「そうねえ。客観的に見て、聡子は〈7〉かしら」

「うーん。それならせめて、〈2〉！」

「そうか……。じゃ、私が〈7〉かな」

「亜由美なら、〈8〉じゃない？」

「そう？――ねえ、ドン・ファンはどう思う？」

「ワン」

「〈1〉はだめなのよ」

と、亜由美は真面目《まじめ》な顔で言った。

「ドン・ファンのお気に入りのドレスなら、決ってるわよ」

「何？」

「スカートの中へ潜り込みやすいドレスだわ！」

「ウー」

ドン・ファンが聡子をにらみつけたようだった……。

「――じゃ、いいや」

と、亜由美が肩をすくめて、「私、〈8〉にする」

「それじゃ、〈7〉が残ったわけね」

「早く電話しよう。これで決りね？」

「うん。残りの人も、悪くないんじゃない？　ラッキーセブンだもん」

「本当ね。〈7〉の方が、早くいい人が見付かったかもね」

そう言って笑うと、亜由美は電話をかけに部屋を出た。


広々としたホテルのロビーへ入ると、広田佐千子は、ベルボーイに、

「あの、この会場はどちらでしょう?」

と、声をかけた。

「はい、案内状を拝見させていただけますか?」

「あ、ちょっと待って下さいね」

佐千子はバッグから、案内のハガキを取り出して、

「このホテル、初めて来たもんですから……。これです」

「こちらは宴会場の方でございますので、反対側の入口になります」

「あら、そうですか。よく分らなくて」

「多少、分りにくくなっておりますので。——ご案内いたしましょう」

「お願いできます? 私、方向がさっぱり分らない性質《たち》なんですの」

「こちらでございます」

と、ボーイが先に立って歩いて行く。

佐千子は、その後からついて行った。

「——このホテルは本館と新館が、ちょっと入りくんでおりまして……」

「そうですね」

「ここが連絡通路になっております」

細長い廊下。——まだ宴会の時間には早いせいか、人影はない。

トイレが左右にあった。

ボーイがその前を通り、佐千子がその後から。——すると、男子トイレから、男が一人、スッと出て来たと思うと……。

その男は、佐千子を追い抜いて、ボーイに追いついた。

ガン、と鈍い音がして、ボーイがそのまま気を失って倒れる。

「——殺したんじゃないの？」

と、佐千子が言った。

「大丈夫。音だけだよ。気絶したのさ」

「早くして。人が来たら——」

「分ってる」

男は、気を失っているボーイの体を、トイレの中へと引きずって行った。

佐千子は、廊下の左右を苛々《いらいら》しながら見やっている。ほんの二、三分だが、長く感じるのだろう。

ボーイが現われた。いや、殴った方の男が、ボーイの制服を着て出て来たのだ。

「サイズは？　大体同じような感じのボーイを選んだんだけど」

「あつらえたよう、とはいかないが、まあ、見てそうおかしくないだろ？」

「充分よ」

佐千子はざっとその男の格好を眺めると、「あまり口をきかないようにね。――じゃ、私はロビーへ戻ってるわ」

「ああ。また後で」

佐千子は、小走りに、ロビーへと戻った。

「やあ、どこへ行ってたんだ？」

と、前川伸之が、ロビーに立って手を上げた。

「ごめんなさい。ちょっと化粧室が分らなくって。――お車は、駐車場へ入れたの？」

「うん。君がいないんで、迷子になったのかと思ったよ」

「まさか」

と、佐千子は笑って、前川の腕を取った。「じゃ、行きましょうよ」

「うん。大分早いがね」

「じゃ、どこかで一息入れる？」

「それもいいか」

前川は、のんびりと歩き出しながら、「今、君のことを待ってる間にね――」

「え？」

「ここの部屋を一つ取っておいたんだ」

「まあ」

佐千子は、ちょっと笑って、「じゃ、もうキーを？」

前川がキーをポケットから出して見せると、佐千子は、

「じゃ、空けといちゃもったいないわ」

と、言った。「ショーの始まるまで、休んでいましょうよ」

「ショーの方を忘れないようにしないとね」

と、前川は言って、ニヤリと笑った。

「すてきな夜になりそうだわ」

と、佐千子は甘えるように、前川の肩に頭をもたせかけた。


「苦しいよ……」

聡子は、フウフウ息をついて、「結婚って、こんなに苦しいもんなの？」

「ちょっと意味が違うんじゃない？」

亜由美はため息をついて、「言われてたでしょ、あんまり食べて来るな、って」

「あんまり、でしょ。いつもよりは、ご飯を少なめによそったのよ、これでも」

ウェディングドレスを、仮に着てみているところである。

「——何とか入る?」

「うん……。ショーまであとどのくらい?」

「三十分くらいじゃない?」

「三十分ありゃ、何とかなる」

亜由美は苦笑した。

——準備室は、他にもプロや半プロみたいなモデルの女性たちで、大変な熱気だった。

いかにも手なれた感じで着ている娘《こ》もいるし、前と後ろもよく分らない(そういうデザインなのである)というのもいる。

亜由美と聡子は、互いに着せ合って、取りあえず、何とか格好がついた。

「——ええと、いいですか」

と、係の女性が声をはり上げる。「十五分前には、必ずここへ入っているようにして下さい! ショーが終ったら、パーティに合流して、自由に食べたり飲んだりして下さって結構です」

ワー、やった、という声が上る。

「——あの、すみません」

と、一人が手を上げる。

「何ですか？」

「これ、まだ着る人がいないみたいですけど……」

一つ、残っているウェディングドレス。胸の所に〈7〉の札がついていた。

「あら、困ったわね。——遅刻は絶対にしないようにって言ってあるのに」

と、係の女性が眉《まゆ》をひそめたが、「仕方ないわ。じゃ、そのままにしておいて下さい。何とか考えます。じゃ、一旦《いったん》、自由にしてらして結構です」

「その辺に出てる？」

——亜由美と聡子はホッと息をついて、一旦、ウェディングドレスを脱いだ。

と、亜由美は言った。

「うん。暑いもんね」

二人は、会場の外のロビーへと出て、息をついた。

すると、メガネをかけた女性が一人、急ぎ足でやって来て、

「すみません、あの——ショーの仕度をする部屋は……」

「あ、そこですよ」

「どうも」

と、足早に――。

「今の女《ひと》……」

と、亜由美が呟いた。

「例の〈7〉番のドレスの人よ、きっと」

と、聡子が言うと、

「うん。でもね――何だか今の声、どこかで聞いたような気がする」

「今の女《ひと》？　どこで？」

「よく分んないけど……。どこかで会ったようなのよね」

と、亜由美は首をかしげたのであった……。

4　〈7〉の女

「どうだい？」

と、前川は言った。

「わざわざ訊《き》くの？」

佐千子は笑って、「すばらしいに決ってるじゃないの！」

少し大きな声になっているのは、会場が人の話し声やBGMでやかましいせいもあったが、アルコールも入って、やや上気しているせいでもあったろう。

パーティは盛会だった。

もちろん、モデルが着て出るドレスの他にも、会場のあちこちに、ウェディングドレスとカクテルドレスが、大きな花束のように、咲き誇っている。

「大したもんだな、こいつは」

と、前川はウィスキーのグラスを手にして、「これだけ商売ができれば、パーティの費用ぐらい、軽く出るだろう」

「いやね、すぐ仕事やお金の話。少しは夢を見たら？」

「さっき、たっぷり見たからね」

佐千子は、笑って前川を肘《ひじ》でつついた。

「いやな人！——あら」

佐千子が、目を見開く。

「どうした？」

「あの、茶のスーツの方……」

「やぁ、何だ」

と、前川が言うと、その女が振り向いて、

「あら、あなた」

と、言った。「偶然ね」

「よせよ」

と、前川は苦笑して、「偶然じゃないことぐらい、お互いに承知さ」

「そう？」

と、前川和子は、歩いて来ると、「今日は、佐千子さん」

と、会釈した。

「どうも」

佐千子は微笑を浮かべて、答えたが、もちろん、目は笑っていない。「和子さんも、このショーに興味がおありなんですの？」

「ええ。再婚用にと思ってね」

と、和子は澄まして言った。

「そうですの。でも、和子さんには、どれも少し派手じゃないかしら。もう少し地味な方が、お年齢《とし》の方には……」

和子は、キッと佐千子をにらんで、すぐに冷笑を浮かべ、

「若い方は元気でいいわ」

と、応じた。「でも、忘れないことね。いつまでも若いわけではない、ってこと」

「そうしますわ」

「それは結構」

「年齢《とし》の差がつまることはありません。それも忘れないようにいたします」

目と目が火花を散らすばかり。

「――じゃ、ごゆっくりお楽しみ下さいな」

と言って、和子は、人の間に紛れて行った。

「なかなか鋭いね」

と、前川が言った。

「悪かったかしら？　でも、こんな所へ来るなんて、いやがらせとしか思えないわ」

「分ってるさ。心配することはない」

「――見て」

と、佐千子は言った。

「うん？」

「和子さん、美奈さんと一緒よ」

「ああ、本当だ」

「もちろん、三番目の人も来ているはずね」

と、佐千子は会場の中を見回した。「どこにいるのかしら」

「気にすることはない」

と、前川は、佐千子の肩を、しっかりと抱いた。

「気にしてやしないわ。向うが気にしてるだけよ」

「その調子だ。——ちゃんと君のことを守るように頼んである」

「え？」

と、当惑したように、佐千子が前川を見ると、「どういうこと、それ？」

「君には黙っていたが、警察に、ちょっとした知り合いがいてね。そこに君の警護を頼んだ」

「警察？　オーバーねえ」

「それほど君のことを気にしてるのさ」

と、前川は言った……。

一方——亜由美と聡子は、出番が少しのびたので、暑さを避けて、また会場の外のロビーへと出ていた。

「塚川さん」

と、呼ばれて振り向くと、亜由美は吹き出してしまった。

「そう笑わんで下さい」

と、タキシードに蝶《ちょう》ネクタイというスタイルの殿永が、情ない顔で言った。「好きでこんな格好をしているわけじゃないんですから」

「お似合いですよ」

と、聡子が真顔で、「私、殿永さんに惚《ほ》れちゃいそう！」

「まさか」

「ハハハ」

と、聡子が笑い出す。

「いいですか。中年男をからかわんで下さい！」

殿永は、いささかむきになって、言った。

「――何か分りまして？」

と、亜由美が訊《き》く。

「いいえ。ともかく、分っているのは、ここに、前川伸之と広田佐千子が来ている、ということ」

「私も気が付きました」

「それから、前川和子も美奈の二人も」

「じゃ、〈前妻連盟〉が？」

「三人目が見当らないんですがね」

「いないわけないですね。――じゃ、どこかに隠れて、機会をうかがっているのかも」

「しかし、こんな場所で？　まさか、と思いますがね」

「房江っていいましたっけ、三人目の人」

「そうです。あの中では一番若い。三十一歳でしたか」

「——あっ！」

と、亜由美が口を開けて、「そうだ！」

「どうしました？」

「亜由美！　百円玉でも落としたの？」

「失礼ね！　百円ぐらいで、こんなにびっくりしないわよ」

「じゃ千円札？」

「千円なら、もっとびっくりしてるわよ」

何だかよく分らない。「そんなんじゃないの！　殿永さん、来てますわ、三人目の人も！」

「前川房江が？」

「ええ。ショーに出るんです。〈7〉のドレスを着て。メガネかけて来たから、分らなかったけど、どこかで見たことのある人だと思ってたんです」

「じゃ、あの人、三十一？　どうりで、似合わないモデルだと思った」

「でも妙ですね。何か目的があって、きっとあんなことしてるんです」

「そうでしょうね。——しかし、モデルをやってちゃ、広田佐千子に近付くには却《かえ》って危険だと思いますが」

「どうしましょう？」

殿永は、少し考えていたが、

「何もしていないのに、強引に叩《たた》き出すわけにもいきません。——目を光らせていて下さいませんか」

「任せて下さい」

と、亜由美が力強く肯くと、聡子が、やれやれ、というようにわきを向いた。

そして、眉《まゆ》を寄せ、

「あの二人、このパーティに出るのかしらね？」

と、言った。

「——あ、広田佐千子さんのお父さん」

広田友作が、女性と連れ立って、やって来る。

「あれ、奥さんかしら」

「そうでしょう」

広田は、亜由美に気付いた様子で、少しやり過ぎと思えるくらいに、深々と頭を下げた。

亜由美も会釈したが……。

「何しに来たんだろう?」

と、聡子が言った。「一応招待状は持ってるみたい」

「前川さんを殺しに、じゃない?」

「――やれやれ」

殿永が首を振って、「これじゃ、サンドイッチの一切れも口に入りそうにありませんよ!」

と、嘆いた……。

「はい、〈8〉の人!」

亜由美が呼ばれて、立ち上った。

「早く来て!」

「はいはい」

「いいですね、音楽が鳴ったら、サッと出て下さいね」

「ええ」

別にこんなの、どうってことないや、と思ってはいるのだが、それでも、いざとな

ると ドキドキして来る。

〈7〉番の前川房江は、戻って来て、汗を拭《ふ》いている。

用意された冷たい飲物に口をつけている房江をそっと見ていると、音楽が鳴り始めて、

「さ、出て！」

と、背中をぐっと押された。

亜由美は、できるだけ優雅な足取りで、会場へと出て行った。

ライトがサッと当り、カメラのフラッシュなんかが光ったりして、なかなかいい気分である。

ナレーターが、このドレスの特徴を説明している間、亜由美は会場の中を、ゆっくりと歩いて行ったが――。

客の誰かが、ドレスの裾《すそ》を踏んづけたらしい。亜由美は後ろにぐいと引張られて、

「ワッ！」

と声を上げて、引っくり返ってしまった。

ドッと笑い声が上る。

亜由美は頭に来て、

「誰よ、踏んだのは！」

と、怒鳴った。「ぶっとばしてやるからね！」

会場が静かになった……。

亜由美は、ちょっとまずかったかしら、と思ったのだった……。

すると、

「やめてよ、お父さん！」

と、高い声が響き渡った。

見れば、広田佐千子と前川の前に、広田友作がベタッと座り込んで、両手をついているのである。

「いや、どうかこの通り」

と、広田は頭を下げて、「娘を返して下さい！」

「お父さん――」

と、佐千子が、顔を真赤にして、「恥ずかしいことよして！」

「いや、人の目なんか気にしちゃおられん。そうだとも！」

「そんなことしても、私の気持は変らないわよ！」

と、佐千子は怒っている。

そりゃ、佐千子の怒る気持も分る。こんな場所で、父親が――。

「――立って下さい、どうか」

と、前川が言った。「お話を聞くには、ここはふさわしくありません」

「むだよ」

と、佐千子が言った。「ただ、私たちを困らせるためにやっているんだから。放っとけばいいわ。恥をかくのは自分なんだもの」

「佐千子、お前は――」

「もうやめて！　出て行ってよ！」

言い合いの間に、すっかり会場は静かになってしまった。

誰もが、この成り行きを見守っている。

前川と佐千子を困らせる、という点では、広田の考えは図に当ったと言えるだろう。

しかし、事態が良くなるとは、少しも思えないが――。

その時、

「亜由美！」

と、聡子が叫びながら、飛び出して来た。「大変よ！」

「どうしたの？」

「早く来て！」

亜由美はウェディングドレスの裾をつまんで持ち上げると、ヤッと走り出した。

あんまりPRになるような格好ではない。

——準備室へ駆け込むと、

「あの人が——」

と、聡子が指さしたのは、前川房江だった。

床に倒れて、カッと目を見開いている。

「どうしたの？」

「分んないわ。急にウーン、と唸《うな》って、バタッと……」

「どうしました？」

と、殿永が駆け込んで来る。

答えを聞くまでもなく、前川房江が、ドレス姿のまま倒れているのを見て、駆け寄った。

「——どうです？」

と、亜由美が言った。「救護室に連絡します？」

殿永は、ため息をつくと、立ち上り、

「いや、もう手遅れですね」

と、言った。

「じゃ——死んでる？」

「ええ。——一一〇番ですね、必要なのは」

殿永は、床に転がったコップへと目をやって、「あれが原因ということになると……。他に飲んだ方はいませんか?」

居合わせた全員が、青ざめる。

聡子がヘナヘナと座り込んでしまった。

「聡子! しっかりして!」

と、亜由美が肩をつかむと、

「大丈夫。——飲まなくて良かった、と思ったら、気が抜けて」

と、聡子は言ったのだった。

5 花びんの運命

「やっぱりね」

と、神田聡子が言った。

「何が、やっぱり、なの?」

亜由美は訊《き》いた。

「亜由美の行く所、ゴロゴロと死体が転がってる、ってこと」

「何よ、それじゃ私がまるで殺人鬼みたいじゃないの」

「もしかすると……」

「何？」

「これまでの事件も、全部亜由美のやったことじゃないの？」

「ワン」

「いい加減にしてよ！」

と、亜由美も本気になって怒っている。「殺すぞ！」

これがいけないのである。

ところで——前川の三人の元・妻たちの一番年下、前川房江が死んで大騒ぎだったのは、当然のこと。

ウェディングドレスの発表会で変死事件とあって、パーティは台なしになってしまった。

「——いや、参りましたね」

と、ロビーで座っていた亜由美たちの方へやって来たのは、殿永刑事。

「殿永さん、どうですか現場の方は？」

と、亜由美が訊くと、まだタキシードに蝶《ちょう》ネクタイというスタイルの殿永は、首を振って、

「ともかく客の数が多いし、大騒ぎですよ」

と、うんざりしている様子。「こっちとしては、全部の客から、一応、身許《みもと》を聞かなきゃならんのですが、何しろ来ているのが、結婚前のカップルばかりでしょう。縁起でもないとカンカンでね」

「そりゃそうでしょうね」

「しかも、父親なんかが一緒に来てるカップルも多くて。どうやら、ありゃ親が費用を持たされるんでしょうな」

「じゃ、ますますやかましいですね」

「ま、何とか了解してもらって、一応全員身許を確認して帰ってもらいましたがね。ああ、もちろん、例の〈前妻連盟〉には残ってもらってます」

「やっぱり死因は――」

「詳しいことは解剖しなくては分りませんがね」

と、殿永は肯《うなず》いた。「たぶん毒物でしょう」

「でも、どうして前川房江が……」

「さあ、そこです」

と、殿永が、刑事らしい表情になって、「殺す方だったはずの人間が殺された。――となると、見方を変えなくてはなりませんね」

「広田佐千子さんと前川さんは？」

「このホテルに部屋を取っていたらしいので、そこにいてもらっています」

殿永は少し声を低くして、「面白いことが分りましたよ。ホテルのボーイが一人、トイレで殴られてのびていたんです。制服を脱がされてね」

「それじゃ、誰かがボーイになりすまして……」

「ここで結着をつけたいところですがね」

と、殿永は言った。「――これから〈前妻連盟〉の二人に話を聞くところです。どうします？」

亜由美は答えなかった。その必要もなかったからだ。

「どうも、その節は」

と、亜由美は、わざと前川和子、美奈の二人に、馬鹿《ばか》丁寧に挨拶《あいさつ》してやった。

あの口やかましそうな女たちのことだ。刑事の顔を見るなりギャアギャアわめいてかみつきそうなものだが――。

「まあ」

と、前川和子がメガネをかけ直して、亜由美のことをまじまじと見つめると、「あの時のお嬢さん！」

と言ったのである。

亜由美はびっくりして引っくり返るところだった。

「まあ本当だわ」

と、前川美奈の方も、ポンと手を打つ。

私はコイじゃありませんから、手を打ったって、飛びはねたりしませんよ、と亜由美は言ってやりたかった。

「良かったわ、ここでお目にかかれるなんて！　ねえ、美奈さん」

「本当だわ。この方のお顔を拝見しただけで、不安がスーッと消えてしまって」

「ねえ、人徳って争えないものだわね」

亜由美は、呆然《ぼうぜん》として二人の早口な「お世辞」を聞いていたが……。

「ちょっと待って下さい」

と、たまりかねて遮《さえぎ》ると、「大分お話が違うじゃありませんか！」

「あら、そうでした？　少し言葉は違っていたかもしれないけれど……」

あんまり利口そうじゃない、とか言っといて。──そりゃ、亜由美だって、自分が天才に見えないかもしれないとは思っている。

しかし──まあ、そんなことは差し当り、どうでも良かった。

殿永が前に出て、椅子《いす》に落ちつかない様子で座っている二人の女を交互に見ながら、言った。

「亡くなった前川房江さんは、よくご存知ですな」

「ええ……」

と、和子は、ためらいがちに、「そう親しいというほどじゃありませんでしたけど……。一応会えば挨拶ぐらいは」

「私も」

と、美奈が肯《うなず》く。

「いいですか」

と、殿永がため息をついて、「あなた方三人が〈前妻連盟〉というのを結成していたことはよく分っています。そのお一人が変死した。しかも、状況からみて、毒殺された可能性が強い。お二人にも関係がないこととは思えませんね」

和子と美奈はチラッと目を見交わした。

「あの――」

と、和子の方が何か言いかけた時、

「失礼いたします」

と、声をかけて来たのは、制服のボーイで、「殿永様とおっしゃるのは」

「私だ」

「お電話が入っております」

「電話？　分った。どこだ？」

「その廊下の突き当りのカウンターの所でございます」

「この部屋へ回らんのかね」

「申し訳ございませんが……」

「分った。――仕方ない」

殿永は、小部屋を出て、せっせと廊下を駆けて行った。

ボーイは、ちょっと姿を消すと、すぐにジュースのグラスをのせた盆を手に現われて、

「支配人から、ご迷惑をかけたので、お飲物をさし上げるようにということで……」

と、テーブルに置く。

「まあ、ちょうど喉が乾いていたのよ」

と、和子がグラスを取り上げた。

すると、突然、ドン・ファンが、

「ワン！　ワン！」

と、激しく吠《ほ》え立てた。

「待って！」

と、亜由美が叫ぶ。「そのジュース！　飲んじゃだめ！」

「え？」

と、和子がキョトンとしている。

「ワン！」

ドン・ファンが、ボーイの足下へと飛んで行った。

「ワッ！」

と、ボーイが飛び上る。

「――靴だけは合わなかったのね」

と、亜由美が言った。

「な、何のことです？」

「ボーイさんがスニーカーはいてる、ってことないと思うけど」

と、亜由美が言うと、そのボーイがパッと逃げ出した。

「待て！」

「亜由美、危いよ！」

と、聡子が止めたのは、理性的に見て、当然のことだった。

しかし、亜由美は「理性より直感」の人間なのである。

廊下へ、ボーイを追って飛び出したが、ボーイは当然のことながら、殿永が行ったのとは逆の方向へと駆け出していた。

殿永が、騙《だま》されたと知って、走って来る。しかし、ボーイの方が、足も長く（？）、逃げ足は速かった。

亜由美は深く考えたわけではなかった。ただ、ボーイを追って駆け出したら、そこに大きな花びんが飾ってあった、というだけなのである……。

――殿永が駆けつけた時、かなり高価な物と思われるその花びんはバラバラの破片と化し、逃げていたボーイは、大の字になってカーペットの上でのびていたのだった。


「それじゃ――」

と、亜由美は言った。「あのジュースは本当に支配人から？」

「そのようです」

と、殿永は肯《うなず》いた。

「じゃ、毒は入ってなかったんですか？」

「ええ」

亜由美は、ドン・ファンの方をにらんだ。しかし、ドン・ファンは知らん顔でそっぽを向いている。

「まあ、それじゃ、亜由美は何の罪もない人に乱暴を？」

と、殿永へお茶を出していた清美が、言った。「何てことでしょ。どうぞいつでも逮捕なさって下さいな」

「ちょっと！　それが親の言うこと？」

と、亜由美はすっかりむくれている。

「いやいや」

と、殿永は笑って、「亜由美さんを責めるわけにはいきません。あの男は本物のボーイを殴って、制服を奪ったんですから」

「ほら見なさい」

と、亜由美は言った。「――で、殿永さん、誰だったんですか、その男？」

「それはまだ……」

「白状しないんですか。ますます怪しいわ」

「いや、あの花びんの一撃でのびたままなんです」

「あ――なるほど」

「そんなに強く殴ったんですか」

と、清美がため息をついて、「この子と結婚する人は石頭でないと……」

「関係ないでしょ」

と、亜由美はムッとして、「お母さんはあっちへ行ってて」

「はいはい」

清美が居間から出て行くと、一緒にドン・ファンもこっそり出て行ってしまった

「すばらしい！」

「皮肉ですか？」

「とんでもない。私と同じ考えですよ」

殿永はニッコリ笑って、「では、出かけましょうか」

と、立ち上った。

「お先にどうぞ。一緒に出ると、母が、私のこと逮捕されたと思い込むでしょうからね」

と、亜由美は言った。

6　頭痛の問題

「あら」

と、亜由美は言った。「佐千子さんじゃないかしら」

殿永と亜由美は、車の中から、広田佐千子がちょうど家を出る所を見かけたのだった。

広田友作の家である。パーティであんなことがあっては、とても佐千子とて家で暮す気にはなれないだろう。

佐千子はボストンバッグを手に、通りかかるタクシーを停めたところだった。

「家を出るのかな。ま、当然でしょうがね」

と、殿永は言った。

「でも――」

と、亜由美は、いぶかしげに、「おかしいわ」

「何がです？」

「家を出る、って……。そりゃ、男の人なら、ボストンバッグ一つで家を出るのも分りますけどね。女が――それも佐千子さんみたいな若い女性が家を出る、っていうのに、あんなバッグ一つじゃ、とても間に合いっこありません」

「なるほど」

と、殿永は肯《うなず》いて、「さすがは亜由美さんだ。それじゃ――」

「当然、尾行してみるべきだと思いますわ」

「いいでしょう」

殿永は車をスタートさせて、広田佐千子の乗ったタクシーを追いかけ始めた。

さすがに刑事、と亜由美は殿永の運転の巧みさに感心している。

決して佐千子の乗ったタクシーとの差を、詰めるでもなく、広げるでもなく、信号の変り目をうまく見ながら、ピッタリとつけて行く。これは、なかなか容易なことではないだろう。

「――見直しちゃった」

と、亜由美は言った。

「何です？」

「殿永さんって、車の運転、上手なのね」

「――妙なことを言わないで下さい。手もとが狂う」

「あら、正直に誉めてるんですよ」

「どうも」

「母じゃないけど――」

と、亜由美は言った。「私、殿永さんに惚《ほ》れちゃおうかな」

「わっ！」

突然、車の前に、バイクに乗ったどこかのおばさんが平然と割り込んで来て、急ブレーキ。亜由美は、

「キャッ！」

と、声を上げた。

「――びっくりした！」

「大丈夫……。でも、ひどいバイク」

「前方しか見ないんですな。後ろや左右にどんな車がいるか、全然気にしない。——事故のもとですよ」

殿永が、ため息をついた。

「前方しか、ね……」

亜由美は、何やら考え込んでしまった。

「どうかしましたか」

「いいえ。やっぱり、殿永さんに惚れるの、思い直しましたわ」

「そ、そうですか……」

殿永はホッとしたような、がっかりしたような、微妙な表情だった。

「ねえ、何だか私——」

「何です？　トイレですか」

亜由美は、ため息をついて、

「何でもありません！」

と、腕組みをして前方をにらみつけた。

殿永はため息をついて、

「女心は難しい」

と、呟《つぶや》いたのだった。

タクシーが停って、広田佐千子が降りたのは、病院の前だった。

「病院だわ」

と、少し手前で停った車から外を見て、亜由美は言った。「どこか具合が悪いのかしら？」

「いや、そうじゃないでしょう」

と、殿永は言った。「これは面白い」

「何が？」

「ここは、例の、花びんでのされた男が入院している病院ですよ」

「まあ」

――早速、二人は車を病院のわきへつけ、佐千子の後を追った。

受付へ行った殿永は、すぐに戻って来て、

「やっぱりそうだ。彼女、例の男の病室を訊《き》いて行ったようですよ」

「でも――どうして広田佐千子が？」

「それは分りません。ともかく、覗《のぞ》いてみようじゃありませんか」

もちろん亜由美も、ためらうはずがない。

廊下を歩きながら、殿永は言った。

「ちょっと前にも、あの男の所へ、女性の見舞客があったようです」

「へえ。誰かしら？」

「見てのお楽しみ、というところですね」

二人は足を速めた。——亜由美は、ふと思い付いて、

「でも——大丈夫なんですか、その男を見張らないで」

「ちゃんと婦人警官が看護婦の服装で、そばについていています」

なるほどね。亜由美は感心した。

「ここですね」

〈面会謝絶〉という札のかかったドアの前で、殿永が足を止めた。

すると、病室の中から、

「何ですって！」

と、甲高い声。「じゃ、あんたは私を騙《だま》してたのね！」

「こりゃ穏やかでないな」

と、殿永が言った。

「今の声……。前川和子だわ」

亜由美は、急いでドアを開けた。

「助けて！」

と、ベッドの上で、頭に包帯を巻いた男が、青ざめている。

前川和子と広田佐千子が、にらみ合って立っていた。

「お邪魔しますよ」

と、殿永は言った。「ちょうど、意識も戻ったようだ。ゆっくり話し合いましょう」

「この男を逮捕して下さい！」

と、前川和子が顔を真赤にして怒っている。

「そりゃ、確かにホテルのボーイを殴って、制服を奪ったんですからね。しかし、あなたのおっしゃるのは？」

「私たちのことを、ずっと騙していたんですわ！」

と、今にも男に殴りかからんばかり。

「ワッ！　た、助けて！」

男は、ベッドから這《は》いずり出て、床へ伏せた。

「まあまあ」

と、殿永は男を引張って立たせると、「冷静に話をしましょう。――君の名前は？」

男は、頭を押えながら、

「いてて……。あの――山口《やまぐち》です。山口直己《なおみ》……」

「どうしてボーイを殴ったりしたんだね？」

「それは——」

と、詰ると、

「私が頼んだからです」

と、広田佐千子が言った。

「ボーイになりすませ、と？」

「それは、この山口君の考えたことです。私は、あのパーティにこちらの和子さんたちがみえるの、分ってましたから、守ってくれ、と頼んだんです」

「我々が見張っていたのに？」

「知らなかったんです。パーティで、初めて彼から聞きました」

「なるほど。しかし、それにしても、ボーイを殴って気絶させ、制服を奪うというのは、やり過ぎだ。下手をしたら殺しているところですぞ」

「すみません」

山口という男、しょげ返っている。

「それで、と」

殿永は、前川和子の方を向いて、「あなたがこの男に騙された、とおっしゃるのは？」

と、訊いた。

前川和子は、ジロッと山口の方をひとにらみした。相当な迫力で、山口はあわてて包帯を巻いた頭をかかえた。視線が痛いのかもしれない。

「——私は、この男にお金を払ってたんですよ」

と、和子は言った。「情報を提供してくれるので、その度に……」

「情報というと？」

「前川がどんな女と付合っているか、ということです。相手の女の名前とか、住んでいる所とか。——いつでも、前川がどこで誰に会ったか、こっちには分っていました」

——亜由美は、〈前妻連盟〉の三人が大学へやって来た時、「お金目当てにあの子が——」とか、美奈が和子に言っていたことを思い出した。

この山口のことだったのだろう。

「しかし、なぜ君は前川の会う女のことまで分るんだ？」

と、殿永が訊《き》くと、山口は、ちょっとためらってから、言った。

「僕は、前川さんの秘書ですから」

「秘書？」

亜由美はびっくりした。「それじゃ——あなた、あの時の……」

思い付いたのだ。どこかで見たことがあると思った！

「そうです」

と、山口は肯いた。「あなたの犬に吠《ほ》えつかれた、革ジャンパーの男も、僕です」

殺そうとしたり守ろうとしたり……。どうなってんの？

今度は亜由美の方が、頭が痛くなって来たのだった……。


きっかけは、佐千子の方からだった。

前川伸之に送られて、家の前まで来て車を降り、

「じゃ、おやすみなさい」

と、軽くキスを交わして――。

このころ、まだ佐千子は前川と寝たことがなかった。こうして別れる時にキスするぐらいだったのだ。

前川が、いささか名残り惜しげに、もう一回キスしてから、車に戻り、帰って行くと、佐千子は、車のテールランプが見えなくなるまで、見送っていた。

そして、ふと気付いた。車の音。

振り向くと、二、三十メートル離れて、車が一台、ライトを消して、停っていた。前からそこにいたのではない。もし、いたら、前川の車で通る時、気付いたはずだ。

佐千子は、この何日か、どうも誰かに見られている、という気がしていた。もしか

するど、あの車が？

佐千子は、ためらわなかった。

パッと振り向くと、その車に向って、どんどん大股《おおまた》に歩いて行く。車の中の人間が、びっくりしたらしい。

エンジンを止めていたので、あわててエンジンをかける。車を動かそうとして——

佐千子が、もう目の前まで来ていた。で、車を思い切りバックさせた。

ガシャン！——電柱に、もののみごとに、後部をぶつけてしまったのだ。

「ちょっと！」

佐千子は、ドアを開けた。ロックしていなかったのだ。

「誰？　どうして人の後を尾《つ》けるの！」

「いや——別に——」

と、その男は、しどろもどろに、「尾行なんて……」

「嘘《うそ》つかないで！　分ってるのよ！」

佐千子は男の手をつかんで、「出てらっしゃい！」

別に、そんなに凄《すご》い力で引張ったというわけでもないのだが……。男は、

「ワッ！」

と声を上げて、車から転がり出て来た。

これには佐千子の方がびっくりして、

「あの――大丈夫?」

「ええ……。いや、すみません」

男は、立ち上って、背広を直した。

「――あなた、誰?」

と、佐千子は訊いた。

「ええと……。広田佐千子さん」

「それは私よ」

「ええ、分ってます」

と、男はあわてて言った。「こりゃまずいなあ……」

「ブツブツ言ってないで! 警察へ突き出すわよ!」

佐千子も、いつもこんなに気が強いわけじゃない。相手がいかにもおとなしいのでつい、強くなってしまうのである。

「そりゃ困ります!」

「じゃ、白状しなさい」

男はため息をついて、

「分りました」

と、言った。「僕は山口直己といいます」

「山口……。どうして私の後を尾けているの?」

「人に頼まれまして」

「誰に?」

「それは……」

「今さら隠すこともないでしょう」

「そうですね」

何だか、人は悪くなさそうだ。「僕は——実は、前川さんの秘書なんです」

佐千子はびっくりした。

「あの人の秘書? そんな!——だったら私が知らないわけないじゃないの!」

「いや、あなたも秘書ですけど、会社の秘書。僕は、彼の個人秘書なんです」

「というと……」

「私生活に関することを、色々やっています。それこそ、あなた方のレストランの予約とか、車の手配とか。——気付かれないように、何でもうまく手配するのが、僕の役目です」

「本当なの?」

「もちろんです」

と、山口は、少々心外という顔で、「今夜だって、お二人が食事している間に、前川さんの車のガソリンが切れかかってたんで、ガソリンスタンドまで運転して行って、入れて来たんですよ」

そう言われて、佐千子も思い出した。レストランで車を降りる時、ガソリンメーターが〈E〉の方へほぼ振り切れているのに気付いたのだ。

彼に言っておこうと思って、それきり忘れてしまったが……。

「それに——」

と、山口は言った。「お二人の泊るホテルも予約しておいたんです」

「ホテル?」

「ええ、もしかしたら泊ることになるかもしれないから、と。——もうこれで五回もむだにしました」

佐千子は、呆《あき》れて——それから笑い出してしまった。

山口は、しばらくポカンとしていたが、やがてホッとしたように、笑顔になった……。

「その前から、この人に頼まれて、社長の付合う女性のことを、知らせていました」

と、山口は、前川和子を見て、言った。

「なるほど」

殿永は、佐千子の話と、山口の言葉に肯《うなず》いた。「それは、金のため？」

「そうです」

と、山口は言って、チラッと和子の方を見た。「社長からいただいてる給料だけでやっていけないわけじゃないんですけど……」

「まあ、君が断っても、誰か他の人間が、前川さんの付合う女性のことを調べていただろうな」

「ええ、僕もそう思ったんです。――ま、言いわけになるかどうか分りませんが」

「でも――」

と、佐千子が言った。「なぜそのことを、私に黙ってたの？」

「すまない」

と、山口は目を伏せた。「金をもらってて、今さらやめるわけにいかなかったし、金を受け取ってる以上、そのことを君に話すのは、裏切ることになるからね」

佐千子は、苦笑して、

「本当に、変なところで真面目《まじめ》なんだから」

「――お二人は、どうなってるんです？」

と、亜由美は訊いた。

「僕の方は、彼女に恋してます」

と、山口が言った。「彼女も承知です」

「でも、私は前川さんのものよ」

と、佐千子が言った。

「分ってるよ」

山口はため息をついた。

「――刑事さん」

と、佐千子は殿永の方を向いて、「この人が革ジャンパー姿で私を狙《ねら》ったのは、前川さんに言われてのことです」

「そうだろうと思っていましたよ」

亜由美は、全然思っていなかった！

「どうしてそんなことを？」

「もちろん、本当に狙ったわけじゃありません」

と、山口は言った。「目撃者のいる所で、彼女が襲われそうになる。それを口実にして、警察に話をするつもりだったんです」

「失礼な」

と、前川和子が顔をしかめて、「それじゃまるで、私たちが人殺しみたいじゃありませんか」

「そこです」

と、殿永は言った。「なぜ前川房江さんが殺されたのか」

「犯人を早く見付けて下さいな」

と、和子は言って、山口の方へ、「あんたはもうクビよ！」

と宣言すると、さっさと病室を出て行ってしまった……。

7　狙われた相手

「――と、いうわけなのよ」

と、亜由美は言った。

「そのいきさつは分ったけどさ」

と、聡子は言った。「どうしてこんな所へ私たちは来てるわけ？」

「来てから、そんなこと考えたって、仕方ないでしょ」

「変な理屈」

「ワン」

と、ドン・ファンも言った。

——ここは、大学の中でも、学生がめったに訪れない、というか——訪れるべきなのに、あまり足が向かない、図書館である。

「しっ」

と、亜由美がドン・ファンの方へ、「声を出しちゃだめ！」

亜由美たちは、天井まで届く本棚の間を、ゆっくりと歩いていた。

「ねえ、亜由美、ここで何を——」

「しっ。やばい」

と、亜由美はあわてて目の前の棚から本を一冊抜いて、開いた。「聡子も、早く本を出して！」

「あ、はいはい」

と、聡子が引張り出したのは——ブックエンドだった……。

「——何してるんですか？」

メガネの司書の女性が、やって来て、ジロッと二人をにらんだ。

「調べものです、もちろん」

と、亜由美は言った。

「ええと……私は本の整理を」

聡子としては、そう言うしかない。

「今、犬の鳴き声がしませんでしたか?」

と、司書が言った。

「犬?　まさか」

と、亜由美は目を丸くした。「ねえ、聡子?」

「そ、そうよ。きっと亜由美が吠《ほ》えたんでしょ」

「あなた、吠えるの?」

「いえ……。満月になると、たまに」

と言って、亜由美は笑った。

「ま、いいわ」

と司書は、およそ信頼しているとは言い難い目で二人を見て、「閲覧は、あくまで静かにね」

「はい」

——足音が遠去かって、二人は息をついた。

「何で私が吠えるのよ!」

と、亜由美が文句を言った。

「とっさの冗談」

「もう少しましな冗談はないの?」

「それより、ドン・ファンはどこへ行ったのかしら?」

「下手《へた》に呼んで返事されたら、困るわ。放っといて大丈夫よ」

「ま、そうね。ありゃ、普通の犬じゃないんだから」

「──ね、こっち、こっち」

と、亜由美が聡子を引張って行く。

「何なのよ?」

本棚の奥の方へ入ると、

「ここにね、前川和子が来ることになってんの」

「ええ?」

聡子は、目をパチクリさせて、「前川和子って……あの?」

「そう」

「どうして?」

「知らないわ。向うが電話して来たのよ」

「だけど──どうしてこんな所で会うのよ?」

「絶対に人に見られない所、って言われたのよ。他に思い付かなくて」

「見られるじゃないの。だって、入口で、あの司書の女性が見逃すと思う?」

「そこよ」

聡子は、亜由美をにらんで、

「ちょっと！　何を考えてんのよ？」

「聡子、入口の見える辺りに立っててよ。それで、前川和子が来たら、ワーとかギャーとかわめいて、司書の注意をそらして」

「何で私がワーとかギャーとかわめかなきゃいけないの？」

「別に、他の言葉でもいいわよ」

「ともかく、いやよ！」

聡子は断固拒否した。「わめくなら、亜由美が自分でわめけばいいでしょ！」

「でもさ、そこが友情……」

「限度ってものがある！」

聡子の言い分も、もっともだろう。

「でも、そろそろ来るはずなのよ」

「ともかく、私はいやよ。ワーでもギャーでも……」

「キャー！」

亜由美と聡子は顔を見合わせた。

「あれ、誰？」

「知らない」

「ドン・ファンでないことは確かね」

——と、また、

「キャー！」

と、叫び声が上って、「犬よ！　犬が机の下に——」

「やった……」

と、亜由美は呟いた。

「キャー！」

「こっちよ、こっち！」

「表にたたき出して！」

大騒ぎである。——亜由美としては、知らんぷりを決め込むしかない。

「——おさまったみたいね」

と、聡子が言った。

「ちょっと見て来るか」

亜由美は、本棚の間を進んで行って、おそるおそる、閲覧室の様子を見た。

椅子《いす》が引っくり返ったり、本が落っこちたり、大分悲惨な状況である。

「——あら」

と、声がした。

振り向くと、前川和子が立っている。

「いつ入って来たんです？」

と、亜由美はびっくりして訊《き》いた。

「ちょうど今」

「よく入れましたね」

「何だか……。犬がどうしたとか言って、騒いでたんで、すんなりと」

ドン・ファン……。まさか、みんなの注意をそらすために？

いや、きっと単純に、女の子のスカートの中に興味を持って机の下へもぐり込んだのだろうが……。

でも、亜由美は、ドン・ファンのためにも、善意の解釈をすることにしたのだった。

「じゃ、こちらへ」

と、前川和子を促して、本棚の奥へと案内する。

「――ここなら、本当に人が来ないわ」

と、和子は感心している様子。

「聡子。誰か来ないか、見張っててくれない？」

「OK。もし、あの司書が来たら？」

「そりゃ――」

「ワーとかギャーね」

聡子は、亜由美にちょっとウインクして見せた。

「仲のいいことね。あれで通じちゃうなんて！」

「いえ、まあ……」

亜由美は曖昧《あいまい》に言って、「それで、お話というのは？」

和子は、何だかいやにやさしい目で、本棚の列を眺めて、

「懐しい」

と、言った。

「え？」

「ちっとも変らないわ、この埃《ほこり》くさい空気も」

「じゃ……。この大学に？」

「ええ。もう昔のことだけど」

「へえ……」

「あなたのこと、信用してもいいと思って、やって来たの」

と、和子は言った。

「そりゃどうも」

相手にもよるが、まあ「信じられない」と言われるよりは、「信じられる」と言わ

れた方が嬉《うれ》しいのは確かである。

「で、お話って？」

和子は、それでもちょっと用心深げに声をひそめて、

「これから話すこと、秘密にしていただける？　誰にも言わないと」

そう言われても……。気軽に約束したりしてから、

「実は、あなたを殺すことにしたの」

なんて言われても困るしね。

でも、ま、いいか。何しろこの大学の先輩だというんだから。

「分りました」

と、亜由美は肯いて、「お約束します」

「ありがとう」

和子は、微笑《ほほえ》んだ。

パタッ。――何の音だろう？

亜由美は、ちょっと考えた。あの音。でも――。

「実は、前川のことなの」

と、和子は言った。「別れた夫のことを、今さらどうしてと思うでしょうけど」

何の音だろう？――気になった。パタッ。

そうか。本が倒れる音。

和子の後ろの本棚で……。

「前川はね――」

と、和子が言った。

そして、急に目を見開くと、アッと短く声を上げた。

「――どうしました？」

と、亜由美は言った。「あの――奥さん。いえ、元奥さん。和子さん」

和子は、何も言わずによろけるように進んで来た。と思うと――亜由美に抱きつくように――。

「あ、あの――ちょっと！」

私、そういう趣味ないんです、と言おうとして……。

和子の背中に、ナイフが突き立っているのが目に入った。

「た、大変……。聡子！――聡子！」

亜由美は大声を出した。「ワーッ！　来て！」

結局、亜由美の方が叫ぶことになってしまったのである。

「すみません」

と、亜由美はしょげている。「もっと、落ちついていれば……」

「いやいや、あわてて当然ですよ」

と、殿永が慰める。「誰だって、いきなり話している相手が刺されたら……」

図書館は空っぽだった。

もちろん、警察の人間はいる。それと、すっかり、不機嫌になって、口もきかない司書の女性……。

「私だったら——」

と、殿永は言った。「卒倒してますね」

亜由美は、殿永の言葉に、少し気持が軽くなった。もちろん、元気づけてくれているのだ。

「でも、もう少し冷静に考えたら」

と、亜由美はため息をついた。「あんなに大騒ぎしなきゃ、犯人をここからどさくさにまぎれて出て行かせることもなかったんです」

「そりゃ、後ではいくらでも考えられますよ」

と、殿永は言った。「もしあなたがそこまでやれていたら、私の立場がなくなります」

「——で、和子さんの容態は？」

「良くはないようです。しかし、助かるかどうか、見込みは半々というところのようですから」

「半々か……」

「クウーン」

ドン・ファンが、亜由美の足下で、やっぱり慰めるように鳴く。

「お前に慰められるんじゃや、おしまいだ」

と、亜由美は嘆いた。

「犯人は——」

と、殿永が、現場の本棚の方へ目をやって、「本の隙間《すきま》から、棚越しに和子を刺したんです。そのせいで、ナイフの刃が半分ぐらいしか入らなかった。それが幸いしたんですよ」

「でも誰が……」

「そこです。——初めは、広田佐千子が狙《ねら》われている、という話でした。ところが、実際にやられたのは〈前妻連盟〉の二人です」

「ええ。でも、まさか佐千子さんが、あの三人を殺すなんてこと——」

「いかに自衛のためとはいえ、そこまでやらないでしょう」

「とすると——誰が一体?」

「分りませんね。人を殺すというのは、何かよほどの理由のあるのが普通です」

「そうですね」

「もし、あの三人が、何か前川仲之の秘密を握っていたとすると……。それを種に、前川をゆすっていたとも思えますがね」

「でも——」

と、亜由美は言いかけて、ためらった。

「何です？」

「いえ……。何でもありません」

亜由美は首を振った。

自信はなかったのだが……。さっき和子が何を言おうとしたにせよ、前川のことを、恨んでいたとか、ゆすっていたとかいう印象では、全くなかったのだ。

いや、むしろあの時、亜由美は和子が、実際、前川のことを、「本当に好き」なんじゃないか、という印象を受けていた。

和子の態度も、これまでとは違っていた。亜由美のことを信用していると言ったのも、嘘《うそ》ではなかったのではないか。

もちろん、これはあくまで、亜由美の直感である。

しかし、なまじ刑事でも探偵でもない亜由美としては、自分の直感を信じるしかない……。

「ともかく、これから、前川美奈に会って来ます」

と、殿永は言った。「途中、お宅へ送りましょう」

「でも……」

ちょっとためらったが、亜由美は言われた通り、送ってもらうことにした。

いかに亜由美といえども、目の前で人が刺されては、やはりショックだったのである。

「ワン」

ドン・ファンも、いつになくやさしい声で鳴いた。

家に帰ると、意外な客が来ていた。

「前川さん」

と、亜由美はびっくりした。

居間へ入ると、前川伸之と父が、楽しげにしゃべっていたのだ。

「いや、やはり何といっても極めつけは〈ハイジ〉です！」

と、父が断言する。

「同感です」

前川も力強く肯《うなず》いて、「〈ハイジ〉には、アニメのすべてがある」

「全くです！　いや、実に話のよく分る方だ！」

父はすっかりご機嫌で、「どうです、もう一杯？」

「いただきましょう」

「では。――お母さん！　もう一杯」

「はいはい」

清美がやって来て、「冷たいのですか？　それともあたためて？」

「私は冷やでいただきます」

と、前川は言った。「ストレートで」

ミルクを飲むのに、ストレートもないもんだ、と亜由美は思った……。

「――や、どうも」

と、前川が亜由美に気付いて、「色々ご迷惑をおかけして」

「いいえ……。あの、前川さん――」

「一度お礼に、と思いましてね。お寄りしたところが、お父さんにぜひどうぞと
――」

「すみません。父はＴＶのアニメに夢中でして」

「いや、私もですよ」

と、前川は言った。「あれほど純粋に心を打つものはありません」

「そうだ」

と、父は肯いて、「お前も見習え」

「私はハイジじゃないの」

「お前は問題児だ」

「そんなことより――前川さん、和子さんが刺されたんです」

前川はポカンとしていたが、

「和子が……。で、けがしたんですか?」

そりゃ、刺されてけがしない人間というのはいないだろう。

「重傷です。意識も不明で」

前川は、やっと話を理解したらしい。

「そりゃ大変だ。しかしどうして和子が……」

「分りません。今、K病院へ入院しているんです」

「K病院。――ああ、知っています」

と、前川は肯いた。

「行っておあげになったら?」

「そ、そうですね」

前川は我に返った様子で、「では早速これから……。お邪魔しました」

と、そそくさと帰って行った。

「——あら、お帰りになったの？」

と、清美がミルクを運んで来た。「もったいない。このミルク、亜由美が飲んでよ」

「もらうわ」

と、亜由美は、ミルクのカップを受け取った。「ね、今の人、何か話してた？」

「いいえ、専らお父さんがアニメの話をしてて」

「お父さんったら！」

と、亜由美はため息と共に言って、グッとミルクを飲んだ。

「あの人も、ミルクを飲んだ方が良かったのにね」

と、清美が言った。

「誰？　前川さん？　どうしてよ。育ち盛りって年齢《とし》じゃないわ」

と、亜由美は笑った。

「でも、具合が悪そうよ」

亜由美は母の顔を見た。

「具合が？　どこが？」

「分らないわ。私はお医者さんじゃないからね」

と、母は肩をすくめて、「でも、どこか具合の悪い感じだったわ」

「そうかしら……」

亜由美は、半信半疑で言った。

あの前川が？

どこが具合悪いというんだろう？――しかし、亜由美も母親の勘が、こういう点にかけては、よく当るということも知っている。

ゆっくりとミルクを飲みながら、亜由美は、確かめた方がいいかもしれないな、と思った……。

8　二人の食卓

「ワン」

と、ドン・ファンが鳴いた。

「どうしたの？」

亜由美が訊《き》く。

「ワン」

「そう。――お前も気になるのね。私もよ」

別にドン・ファンとしては、そう言ったのではないかもしれないが、亜由美はベッドに起き上った。

時間は？　時計を見ると、午前一時。

亜由美にとって、遊んでいる時ならまだ早い時間だ。

亜由美はしばらくドン・ファンの顔を眺めていたが、

「——行ってみるか」

と、言うと、ベッドから出て、仕度をした。

タクシーを呼ぼうと、居間へ入ると、明りが点《つ》いていて、母が起きている。

「お母さん。——何してんの？」

と、びっくりして訊くと、

「出かけるんでしょ？　何か食べて行くかと思って、待ってたの」

「どうして分ったの？」

「そりゃ親子ですからね」

理由にならないような気がしたが、ともかく、亜由美はタクシーを呼んだ。その間にコーヒーを一杯飲むだけにしておいた。

タクシーがK病院の前につくと、亜由美はドン・ファンを促して降りた。

もちろん、もう入口は閉まっている。

昼間は駐車場になるらしい、暗い場所を抜けて行くと、赤い灯のついた入口が見えた。

「あれが夜間受付ね、きっと」

亜由美は、歩いて行って、小さな窓口を覗《のぞ》き込んだ。——誰もいない。

「変ね、さぼってるのかな」

と、頭を中へ入れて、「——すみませんけど、どなたか……」

すると、

「ワン！」

と、突然ドン・ファンが吠えた。

ポン、と窓口の所へ飛び上り、亜由美が面食らっている間に、中へと入って行く。

「ドン・ファン、どうしたの？」

見ていると、ドン・ファンは、その部屋の奥、机の向う側へ入って行った。——何をしているのかと見ていると、

「ウーン……」

と、声がした。

ドン・ファンにしちゃ妙な声だ。

と……。何と机の向うから、殿永が這《は》い出て来たのである。

亜由美は仰天した。ドン・ファンが殿永に変身した？——まさか！

いや、ちゃんとドン・ファンも、その後から姿を見せた。

「殿永さん！」

と、亜由美は言った。「どうしたんですか？　お財布でも落としたんですか？」

もう少し訊きようというものがあるだろうが。

「いや、面目ない」

と、殿永が、頭を振って、立ち上った。「ここにいたら、いきなり後ろから頭を殴られて——」

「まあ」

母が、具合が悪いと言ったのは、殿永のことだったのかもしれない、と思ったりした。

「——大変だ！」

殿永は、ハッとして、「前川和子が危い！」

殿永が部屋から飛び出して、廊下へ走る。亜由美も病院の中へと駆けて行った。殿永は、壁についていた火災警報のボタンを、カバーを押し破って、押した。

けたたましいベルが鳴り渡る。

「こっちです！」

殿永について、廊下を走って行くと、ベルにびっくりした看護婦や患者が廊下へ出て来る。

「あの部屋です」

殿永は、亜由美へ、「ここにいて下さい」

と言って走って行った。

亜由美は、息を荒くして、立っていた。

看護婦が何人もあわただしく走って行く。

すると、ドン・ファンが、

「ワン!」

と、激しく吠《ほ》えた。

「どうしたの?」

看護婦が一人、急いで歩いて行く。その後を、ドン・ファンが追って行った。

「何するの!――どいて!」

足にまとわりつかれて、ドン・ファンを追っ払おうと――。

あの声!

「待って!」

と、亜由美は叫んだ。「あなた、前川美奈ね!」

ハッとしたその女は、帽子をかなぐり捨てて、駆け出した。

そうなると、ドン・ファンも短い足では追いかけられない。

「待て！」

亜由美は駆けて行って……。つい、知らない内に（?）、手に握っている物があった。

「ヤアッ！」

と、それを投げつけると――。

ゴーン、とにぶい音がして、女はその場に引っくり返った。

殿永が、廊下へ出て、やって来る。

「――和子は大丈夫でした」

と、息をついて、「あれは?」

「前川美奈です」

「なるほど」

殿永は、歩み寄って、「みごとにのびてるな。――これを投げたんですか」

「ええ……。何だか知らないで、つかんだ物を……」

殿永は、首を振って、

「あなたは野球の選手になった方が良かったかもしれませんね。百発百中だ」

と、言った。「ただ、野球の時、しびんは投げませんがね」

「ワン」

と、ドン・ファンが鳴いた。


「――意識が戻りましたか」

殿永が覗《のぞ》き込むと、前川和子は、目をしばたたいて、

「私……どうして……」

「刺されたんですよ」

「刺された？」

「ええ。美奈にね」

和子は、ゆっくりと息をついた。

「そうでしたか……」

「もう一度、命を狙《ねら》って来ましたが、こちらの亜由美さんのおかげで捕まえたんです」

「いえ、別に……」

と、亜由美は少し照れた。

「ありがとう……。じゃ、房江さんを殺したのも？」

「そうです。白状しましたよ」

「何てことでしょう……」

と、和子は目を閉じた。

病室の中は、静かで、午後の陽射《ひざ》しが、柔らかく射し込んで来る。

「教えて下さい」

と、亜由美は言った。

和子が、ゆっくりと目を開く。

「前川伸之さんは、体の具合が良くないんですか？」

和子は、ちょっと目を見開いて、

「よくご存知ね」

と、言った。「確かに……。二年前でしたか。――私の知っているお医者様が、私を呼んで、話してくれました。あと一年もつかどうかだ、と」

「ガン、ですか」

「はい。――本人には知らせていませんでした」

「どうして？」

「あの人は、とても神経質です。そんなことを知ったら、参ってしまいますわ」

と、和子は言った。

「もう手遅れだと言われました。——それから二年たちましたけど」

「ご本人は気付いていたんでしょうか」

と、亜由美は言った。

「うすうすは感付いてるかもしれませんね」

和子は、かすかに肯《うなず》いて、「でも、私は、考えました。どうしたらいいのかしら、と」

「それで〈前妻連盟〉を?」

「いえ。それは前からです」

と、和子は言った。「でも、決して彼の再婚の邪魔しようというのじゃなかったんですわ」

「じゃ、本当に、あの人を愛しているから、というので……」

「そうでした。初めは」

「でも、その病気のことが——」

「ええ。それですっかり事情が変ってしまったんです」

和子は、ゆっくりと息をついて、「あの、佐千子さんという方は、とてもすてきな人ですわ。——前川は、これまで、どっちかというと、しっかり者の、頼りになる女

「手術とか……」

を選んでいました」

「なるほど」

と、殿永が肯く。

「でも、佐千子さんは違います。前川は、あの人を守ってやりたい、という気持でいるんです」

「それが、あなたには心配だった」

「ええ。――お医者様の予想よりは、前川も元気でいます。でも、そういつまでも、もつわけではありません」

「佐千子さんが未亡人になる、と……」

「そうさせたくなかったんです」

と、和子は首を振った。

「では、佐千子さんに、そう話せば良かったんじゃありません？」

「そこまで信用していいかどうか。――佐千子さんが、前川のお金でなく、人間を愛しているのかどうか、判断がつかなかったんです」

「なるほど」

亜由美は、眉《まゆ》を寄せて、

「でも――なぜ美奈があなたや房江さんを狙ったんでしょう？」

「あの人だけは、事情が違っていたからですわ」

「というと？」

「子供がいたんです」

亜由美が目を丸くした。

「じゃ――前川さんの子が？」

「そうです。でも、別れてから、産まれた子なので、前川は知りません」

「じゃあ……」

「でも、前川の子だというのは、立証できると、美奈さんは言っていました」

「なるほど」

と、殿永は肯いた。「子供には、彼の財産を継ぐ権利があるわけだ」

「そうです」

和子は、ちょっと悲しげに、「病気のことを、私一人の胸におさめておけば良かったんですけど、つい、他の二人にも話してしまいました……」

「それで美奈は、佐千子さんと、何が何でも結婚されては困る、と思ったんですね」

「それだけでなく、いつ、私や房江さんが、前川に病気のことをしゃべってしまうかと、心配でならなかったんです」

「もし、分ったら――」

「あの人のことだから、佐千子さんと早く結婚して、自分の財産をあの人に遺《のこ》そうと考えるでしょう」

「それで房江を……」

「おかしい、とは思っていたんです」

　と、和子は、天井を見つめて、「あのショーで、房江さんにモデルをやれ、と言ったりして……。何を考えているんだろう、と思ったんですけど」

　殿永が言った。

「広田佐千子の父親と母親に招待状を出したのも、美奈だったんですよ。父親の毒薬が狙いだったのです」

「じゃ、知っていたんですの？」

　と、亜由美が言った。

「もちろん。父親の毒薬をうまくすり取って、それで房江を殺す。――父親に疑いがかかれば、佐千子が、前川との結婚を諦《あきら》めると思っていたんでしょう」

「なるほどね。――で、和子さんを刺したのは……」

「私が、あなたに、前川の病気のことを話すことにしたのを、気付いたんです」

「どうして私に？」

「あなたはいい方だし、佐千子さんとも近い年齢だから。――あなたから、佐千子さんに病気のことを話してほしかったの」

「私が?」

「私が話しても信じてもらえないでしょうからね」

なるほど、と亜由美は思った。

「それで後を尾けて来て、あなたを刺したんですね」

「――可哀《かわい》そうな人」

と、和子は言った。「美奈さんも、房江さんも」

「あなたを刺したのに?」

「子供のことを考えて、道を誤ったんです。――同情しますわ」

と、和子は言った。

しばらく、誰も口をきかなかった。

「それで……」

と、殿永が、ちょっと咳払《せきばら》いして、言った。「どうしますか、これから」

和子は、少し考えていたが、やがて亜由美の方へ頭を向けて、

「話して下さい」

と、言った。

「え?」

「あの人に――前川に打ちあけておくべきでした。あの人と佐千子さんに。二人がどうするかは、二人の決めることですから」

亜由美は、ちょっと深呼吸して、

「――分りました」

と、言った。


「――これが僕だよ」

と、前川伸之が言った。

「あなた……」

佐千子が、胸も一杯の様子。

「何もない。空っぽのテーブルのようなものだ」

食卓は、何ものっていなかった。

「いつ、その話を……」

「うん。――君と付合いだして、間もなくだよ」

と、前川は言った。「君のように若い子と結婚するには、こっちも健康が第一だからね。知人のつてで、検査を受けた」

「そう」

「――もう、先は長くない、と言われた」

前川は首を振った。「その時、もう君とは別れようかと思った。君を不幸にするだけだとね」

佐千子は黙っていた。

「しかし――」

と、前川は続けて、「僕は気の小さい男でね。怖いんだ。誰かがそばにいてくれないとね」

「私が――」

「そう。しかし、無責任かとも思ったよ」

「そんなことないわ」

「君にしてあげられることは、ほとんど何もない」

と、両手を広げて、「君はレストランへ入って、いつまでも、来ない料理を待っている客のようなものだ」

「構やしないわ」

と、佐千子は言った。「あなた、私のことを分ってない」

「そうかい?」

「たとえ結果はどうでも、私、あなたと一緒になって、病気と闘うわ。そうすべきよ」

「しかし――」

「分るもんですか！　生きる希望を失うのが、一番体に悪いのよ。不必要に辛い思いをさせはしないわ。でも少しでも可能性のある限りは……」

「じゃ、君は――」

「今すぐだって、あなたと結婚したい」

――何だ、と亜由美は、聞いていて、思った。

無断で入って来てしまったのだが、何も話すことはなかったようだ。

ドン・ファンが、

「クウーン」

と、鳴いて、佐千子が気付いた。

「あら……」

「――失礼します」

と、亜由美は少々照れて、「お二人のお邪魔をするつもりじゃ……」

「とんでもないわ。――一緒に夕ご飯を！」

と、佐千子は言った。「ねえ、あなた」

「もちろんだ」

「でも――」

「ご心配なく」

と、前川は立ち上ると、後ろのドアを開けた。

キッチンに、ズラリと料理が用意してある。

――これで、「先のない人」?

亜由美は、前川が長生きするに違いない、という気がしたのだった。

「ワン」

ドン・ファンも同感の様子だ。

母親ほど勘は当らないかもしれないが……。でも、亜由美やドン・ファンだって、捨てたものじゃない!

エピローグ

「今日は大丈夫でしょうね」

と、佐千子が言った。

「ご心配なく」

亜由美が、カクテルなど飲みながら、言った。

である。

——ウェディングドレスのショー。

この前は大騒ぎで、台なしになってしまったので、再び同じ会場で開かれているの

「出番はまだ?」

「ええ。——そろそろ仕度しようかしら」

亜由美が、人で一杯の会場を見回して、「聡子ったら、どこへ行ったのかな」

当の聡子が、

「ねえ!　これ、おいしいわよ!」

と、皿を手にやって来る。

「聡子!　先に食べたら、またドレスが入らなくなるわよ」

「大丈夫」

と、聡子は自信たっぷりに、「ちゃんとサイズを一段上に言っといた」

「負けた!」

聞いていた前川が笑って、

「いや、楽しいな。若い人たちを見ていると」

「私も若いわよ」

と、佐千子が言った。

「前川さん」

と、亜由美が言った。「殿永さんから聞きました。美奈さんの子供を、引き取られたんですって?」

「当然のことですよ」

と、前川が言った。「早く分っていれば、と思います」

「私たちで、責任を持って、育てます」

と、佐千子が言った。「あなた、そう簡単に死ねないわよ」

「全くだ。――何だか死ぬ気になれませんよ、これでは」

と、前川が笑った。

「美奈さんが、罪を償って戻って来られるまで、元気でいなきゃね」

「あ、時間だわ、そろそろ行こう、聡子」

「うん」

「じゃ、後ほど」

亜由美と聡子は、会場の奥の部屋へ入って、ドレスを着た。

「今度は私が〈7〉よ」

と、聡子が言った。

「この前の〈7〉はラッキーとはいかなかったわね」

「やめてよ、その話は」

パンパン、と手を打つ音がして、

「仕度はいいですか！」

と、係の女性が声を張り上げた。「じゃ、〈1〉から音楽に合わせて全員が出ます！」

「――ねえ」

と、聡子が言った。

「何よ？」

「ドン・ファンは？」

「さあ……」

音楽が始まり、ゾロゾロとモデルが並ぶ。

亜由美も聡子も、すっかりこのアルバイト、気に入っちゃったのである。

「――はい、出て！」

広い会場にライトが走り、花嫁たちが静かに出て行くと、会場は、ため息に包まれた。

そして……。

「キャーッ！」

と、ドレスの子の一人が飛び上った。「犬がスカートに——。あっち行ってよ!」

「ワン!」

亜由美は、唖然《あぜん》として、ドン・ファンが次々とウェディングドレスの裾《すそ》の中へと首を突っ込み、モデルたちがキャーキャー騒いで逃げ回るのを、眺めていた。

「——亜由美」

「うん」

亜由美は肯《うなず》いた。「逃げろ!」

亜由美と聡子は、ウェディングドレスのままで、ロビーへと飛び出して行った。

駆けて行く二人とすれ違った老人が、目を丸くして、見送ると、

「——何とね」

と、首を振って、呟《つぶや》いた。「最近は花嫁同士が駈《か》け落ちするのか!」

帰らざる花嫁

プロローグ

「ワン！」

お腹をけっとばされて、ドン・ファンが抗議の声を上げた。

ま、ダックスフントの場合、どうしてもお腹が低い位置にあるので、一緒に歩いていて、つい足がぶつかることもある。

「何よ！」

と、ドン・ファンの飼主である塚川亜由美《つかがわあゆみ》は、ドン・ファンの抗議に、謝るでもなく、

「お前がボンヤリして歩いてるから、いけないんでしょ！」

犬がボンヤリ歩く、というのは、どういう状態を指すのか、亜由美自身、よく分っていなかった。女子大生ではあるが、大学でそんなことまで教えちゃくれないのである。

ドン・ファンの方も、亜由美の態度にムッとしたのか（？）、少し遅れて、私はこの人と何の関係もありませんよ、とでも言いたげに歩き出した。

「あら、亜由美じゃない」

と、そこへやって来たのは、亜由美の親友の神田聡子《かんださとこ》だ。

これが、原宿とか青山通りとかいうのだと、二人がバッタリ出会うのも偶然に過ぎるだろうが、ここは亜由美の家までほんの四、五分の距離。

「今、亜由美の所へ行こうと思ってたとこ」

と、聡子は言った。「オス、ドン・ファン！」

「ワン」

亜由美にすげなくされたので、ドン・ファン、今度は聡子の足下にまとわりつき始めた。

「あらあら。——亜由美。あんたの恋人が浮気してるわよ」

「私の恋人なんかじゃないわよ。気に入ったら、いつでも譲るから、式を挙げたら？」

「式って？」

「結婚式」

と、亜由美は言って、爽やかそのものの青空を仰いだ。「あーあ！　どうしてこの世に結婚なんてものがあるんだろ」

「セリフの練習？」

と聡子は訊《き》いた。

「魂の叫びよ。痛切な、ね。——聡子、何の用だったの？」

「うん。でも……何だか、ご機嫌悪そうだからね」

「そりゃ、良くはない」

と、亜由美は認めた。「少なくとも、五月の末まで、この低気圧は居座ると見てる」

聡子は、ははん、という顔で、

「何だ、知ってたのか」

と、言った。

「知らないわけないでしょ。——小川克代《おがわかつよ》が結婚！　私たちより一つ下なのよ」

「分ってる」

「しかも、何と私の所へ式には出てね、と手紙をよこしたんだわ！」

「友だちでしょ」

「いくら友だちだって、結婚式に招《よ》ぶなんて！」

「めちゃくちゃ言わないでよ」

と、聡子は笑い出した。「それで不機嫌だったのか。納得！」

「あのね、勝手に納得しないでくれる？」

「じゃ、何なのよ」

「別に、式によばれるから、不機嫌なのじゃないの。ただ結婚する、ってこと、それ自体に不機嫌なの」

「同じじゃない」

「違う！　断じて違う！」

亜由美が拳《こぶし》を固めて振り回していると、ガツン、と何かが当った。

「あれ？」

と、振り向くと、

「おい、いい度胸してやがるな」

サングラスをかけたあんちゃんが、頭をさすりながら言った。


「――全くもう、ドジ！」

と、聡子は冷汗を拭《ぬぐ》った。

「ごめん」

亜由美も、さすがにしおらしい。

何しろ二人とも、必死で走って逃げて来たのだ。――今はもう大丈夫。何といっても、亜由美の家の中なのだから。

「あら、亜由美、いたの」

と、母の塚川清美《きよみ》が居間へ顔を出した。

「お邪魔してます」

と、聡子が挨拶《あいさつ》すると、

「まあ、いらっしゃい。亜由美を慰めに来て下さったの？」

「慰めに？」

「ええ。何だか好きな男の人を一年下の女の子にとられたって、この数日、そりゃあ悲観していて」

「お母さん！」

と、亜由美が真赤になって、「いつ私が、有坂《ありさか》君のことを好きだなんて言ったのよ！」

「私は母親ですもの。お前の心の中はよく分ってるわよ」

と、清美は、娘の肩に手をかけて、「心配ないわ、お前は私の娘なんだから」

「だからこそ心配よ。――聡子、部屋に行こう。お母さん、紅茶か何かお願いね」

「はいはい」

清美は穏やかに肯《うなず》いて、「何ならやけ酒にする？」

妙なところで気を回す母親である。

二人はドン・ファンと共に二階の亜由美の部屋へ上った。

「――亜由美、本当に有坂君のこと……」

と、聡子がカーペットに寝転がる。

「私、好きなら、陰からこっそり愛してるなんてこと、しないもん」

亜由美はドテッとベッドに引っくり返る。

「クウーン」

ドン・ファンは、ベッドの下にペタッと横たわる。

いつもこの部屋にいると、みんなだらしなくなるようだ。

「亜由美の、そういう態度が、却《かえ》って、もてない原因かもね」

「寝そべってるのが？」

「違うわよ！　陰からこっそり好きな人を見るとかさ。そういうのって、男が喜びそうじゃない」

「そう？」

「小川克代なんて、正にそのタイプと違う？」

「そうね……。ちょっと時代遅れだよね」

「おとなしいから」

「私はおとなしくないの。分ってるわよ」

「何もそんなつもりで——言ったんだけど」

「今日ね」

と、亜由美は言った。「彼女、見かけたのよ。駅で」

「駅？」

「東京駅。今日、用事で行ったらさ、克代がスーツケース持って、歩いてんの」

「スーツケース？」

「旅に出る、って感じでさ。私、声かけようかと思って……。だって、手紙もらってんのに、そうつっけんどんにもできないし」

「そりゃそうね」

「で、追いかけたんだけど、何しろ通路が凄《すご》い人で、見失っちゃったの。だけど――どう見ても一人旅だしね。結婚前に一人で旅に出るなんて、いかにも克代らしいじゃないの……」

亜由美は、のんびりと天井を見上げた。

青空を見上げる時ほどではないが、結構、胸がスッと軽くなる。

負け惜しみでなく、克代になら、有坂をもって行かれても仕方ないな、と思う。

もちろん、母の手前、口が裂けても言えないが、有坂のことが、ちょっぴり気にはなっていたのだ。でも……。

もう、すんだことだ。

「――ね、聡子」

「うん？」

「お好み焼、食べに行かない？」

「いいね」

「ワン！」

至って平和な三人であった。

しかし——とんでもないことが、亜由美を待ちうけていたのだ。

この日、一人で旅立った小川克代は、それきり帰らなかったのである。

1 恋がたき

いきなり手首をギュッとつかまれたと思うと、亜由美は、ガシャッ、と手錠をかけられていた。

周囲は唖然《あぜん》としていた。——何の冗談？

笑っている子もいたし、興味津々《しんしん》という顔で眺めている子も。

「あのね」

と、亜由美はその男をにらみながら、「私、遊んでるヒマ、ないんですけど」

「こっちだってそうだ」

と、男は言った。「警察の者だ」

確かに、警察手帳を見せたところを見ると、本当に刑事らしい。

しかし、ここは真昼間の喫茶店で、しかも同じ大学の子で一杯。そんな所で、身に覚えもないのに、手錠をかけられちゃ、亜由美としても、かなわない。

「一体何だっていうんですか？　左側を歩いたとか、横断歩道じゃない所を渡ったとか――」

「それぐらいのことで、手錠までかけるか」

と、刑事は言った。「君は小川克代という女性を知っているな」

「もちろん」

「彼女を殺した容疑だ」

亜由美は唖然とした。――店のあちこちでも、

「エーッ！」

という声が起る。

「克代が――見付かったんですか？」

と、亜由美は訊《き》いた。

「いや、まだだ。君が死体を隠したんだろう？」

亜由美は、やっと怒りがこみ上げて来た。いや、亜由美の怒りは、活火山の爆発み

たいなもんで、「こみ上げる」なんて生やさしいものではない。

「死体も見付かっていないのに、何で殺したなんて言うのよ！　逮捕状はあるの、逮捕状は！」

「いや、それは――」

「逮捕状もなしに手錠をかける、ってのは、どういうことよ！」

これには、一緒にいる聡子はもちろん、店内の学生たちが、みんな同調した。

「そうよ、横暴だわ！」

「職権濫用よ！」

「人権の侵害！」

「訴えてやればいいわ！」

「そうよ、裸にして放り出しちゃえ！」

過激な意見も出て、刑事も真赤になって怒っている様子だったが、

「分った！――分ったよ」

と、渋々手錠を外した。「逃げるなよ」

「誰が！」

「ともかく署まで一緒に来てもらう」

「いいわよ」

と、亜由美は立ち上った。「聡子」

「亜由美――」

亜由美は、聡子の手をしっかり握って、

「ここの払いはお願いね」

と、言った……。

店を出て行きかけて、亜由美は振り返り、

「そうだ。聡子、有坂君に、このことを連絡してあげてくれる？」

「了解」

聡子は手を上げて、「お宅には？」

「うち？　そうね。――ま、一応知らせといてくれる？　お母さん、忘れちゃうかも、しれないけどね」

亜由美は、それから、思い付いて、「そうだ！　聡子。殿永さんに」

「ＯＫ！　任せといて」

「さて、行こうか」

と、亜由美はポンと刑事の肩を叩《たた》いて、「迎えの車は？」

――あれじゃ、刑事も気を悪くするわ、と聡子は思った。

亜由美を乗せて、パトカーが走り去って行くと、聡子の知っている後輩の女の子が、

「神田さん」

と、やって来て、「塚川さんって、凄《すご》く落ちついてるんですね」

と、感心している。

「そりゃ、慣れてるから」

と、聡子は答えてやった……。


確かに、小川克代の事件は、もう大学中に知れわたっていた。

大体、学生結婚というのが、やはりそうそうあちこちであるというものじゃないし、有坂宏行《ひろゆき》が、色んな意味で目立つ学生だったというせいもある。

有坂と小川克代の婚約という噂《うわさ》が広まった時、かなりの女子学生が――亜由美もその一人だったわけだが――その夜は悪酔いしたはずである。

そこへもって来て、今度は……。

「塚川君」

と、呼びかけられた亜由美が、口一杯に、学食のスパゲッティを押し込んだところで、

「ムグ……」

と、目をパチクリさせながら振り返ったのは、冒頭の、「不機嫌な日」から一週間

たったころである。

「――あ、有坂君。何だ、びっくりした」

「や、ごめんよ」

有坂は、亜由美の隣の空いた席に、手をかけて、「いいかい、ここ?」

「どうぞ」

「誰か来るのかと思って」

「聡子はクラブで昼休みなし」

と、亜由美は水を飲んで、「ああ! ここのスパゲッティ、辛いの!」

「じゃ、一人なんだね」

「そうよ。――有坂君、お昼は?」

「うん。食欲ないんだ」

「へえ。結婚前の花婿さんが、そんなことでいいの?」

と、亜由美は冷やかしてやった。

ところが、有坂はニコリともしないし、照れる様子もなく、

「実はね――」

と、言って、周囲に目をやった。

「どうしたの?」

亜由美は不思議そうに、言った。そろそろ昼休みも終りで、大分学食が空《す》いて来ている。

「ちょっと、話したいことがあるんだ」

と、有坂が真顔で言った。

「何よ？　私は大丈夫。午後、休講だから」

「そうか。――実は彼女のことなんだ」

「小川さん？」

「うん」

「ふーん」

亜由美は頰杖《ほおづえ》をついて、「もうケンカしたの？」

「違うよ」

有坂は、やっと苦笑に近い笑顔を見せた。

「それじゃ、何？」

「彼女がいないんだ」

「いない、って……」

「この一週間、ずっと休んでる。下宿へ行ってみたけど出ないし、誰も、どこへ行ったか知らないんだよ」

亜由美は、思いがけない話に、戸惑っていた。

「確かに、ここんとこ、姿を見ないな、とは思ってたけど……。でも、式の準備で忙しいのかと思ってたわ」

「そうじゃない。姿をくらましちゃったんだよ」

有坂は深刻だった。

有坂は、見るからに秀才というタイプの男だが、決して「ガリ勉タイプ」ではない。明るくて、なかなかの二枚目でもあり、前述の如く、女の子にもてた。

もっとも当人は、専ら女の子から逃げ回るばかりで、気が弱いらしい。

しかしまた、そういうところが、女の子と見ると、つい目をギラつかせる他の男子学生と違っていて、女の子の興味をますますひくのだった……。

「でも――考え過ぎじゃないの」

と、亜由美は軽い口調で言った。「女の子だもん、一人で色々やりたいこともあるだろうし、結婚前に……。有坂君に言いにくいようなこととかさ」

「二、三日ならね。僕も気にしないんだけど。――昨日、式場で、披露宴の打合せをすることになってたんだ。いくら何でも、彼女がそれを忘れるわけ、ないだろ」

「来なかったの？　それは変ね」

「で、心配になってね。――もしかして、重い病気にでもなって、と……。下宿の人に頼んで、部屋を開けてもらった」

「それで？」

「部屋の中はきちんとしてた。別に置手紙も何もないし、急いで出て行った様子もないんだ」

「ふーん」

亜由美はそこまで来て、やっと思い出した。「ね、この前の日曜日に、彼女、東京駅にいたわよ」

「本当かい？」

と、有坂が身を乗り出す。

「彼女、旅に出るような格好してた」

有坂は、眉《まゆ》を寄せて、

「変だな。そんなこと、一言も言ってなかったのに」

と、首をかしげる。

「そうねえ……。でも、どこか心当りはないの？　そう、彼女、一人で下宿にいたんでしょ？　じゃ、ご両親の所へ帰ってるんじゃないの？」

「いや、連絡したけど、帰ってない。それに、彼女は、両親とも大分昔に亡くしてるんだ」

「へえ。知らなかった」

「ずっと叔父《おじ》さん夫婦に育てられたんだよ。僕も一度会いに行ったけど、とてもいい人たちだった」

「でも――困ったわね、それじゃ」

「全くね」

有坂は、ため息をついた。「まさか、逃げられたんじゃないだろうな……」

――それから二週間たって、あの喫茶店での、「亜由美、逮捕の場」ということになるのである。

そのころまでには、小川克代が姿を消したという噂は、すっかり大学中に広まっていたのだ……。


「――さっぱり分んないわ」

と、亜由美は言った。「どうして私が、あの小川克代を殺さなきゃいけないのよ！」

「もちろん、彼女に、有坂宏行をとられて、恨んでいたからだ」

と、その刑事は言った。

「馬鹿らしい！」

亜由美は、天井を仰いで、「そんなこと言うんだったら、私の他に、容疑者は山ほどいるわよ。有坂君に、露骨に迫ってた子も、五人や六人、すぐ出て来るわ」

「挙げてみたまえ」

——ここは、取調室。

亜由美も酔って暴れて留置場とか行った経験はあるが、殺人容疑で調べられるのは、初めてだった。

亜由美を連れて来た刑事は、ちょっと目つきの鋭い男で、河村《かわむら》といった。殿永のように、被疑者の人権を尊重する、というタイプではないらしい。

「とんでもない」

と、亜由美は河村という刑事をにらみつけて、「私、人のことを密告するような女じゃないの。調べなさいよ。それが仕事でしょ」

「いいか、そういう反抗的な態度を改めんのなら、こっちにも考えがあるぞ！」

「へえ、どんな？　裸にして拷問《ごうもん》でもしますか？」

亜由美も、我ながらどうして、こうなんだろうと思う。相手がおどして来たりすると、ついこっちも強く出てしまうのだ。

「二、三日、留置場で泊って行くか」

「慣れてるわよ」

と、また言い返す。

取調室のドアが開いて、他の刑事が顔を出した。

「河村さん。――例の目撃者が」

「来たか。ここへ連れて来てくれ」

と、河村はホッとしたように言った。

入って来たのは、四十がらみのおばさんで、

「どうも……」

と、河村に頭を下げる。

「ご苦労さん」

と、河村は言った。「あんたは、東京駅で、小川克代がスーツケースを手に歩いているのを見たんだね」

「そうです」

と、その女は肯《うなず》いて、「よくうちの食堂に食べに来るんで、知ってるんですよ」

「その時、誰かが、小川克代の後を追っていたんだね」

「はい」

「それはこの女かね?」

と、河村は亜由美の方へ目を向ける。

その女は、亜由美をまじまじと見て、

「――この人です！」

と、声を上げた。

「あのね、それは――」

「君は黙っとれ！　その時、この女はどんな様子だった？」

「そりゃもう……。おっかない顔で、今にもつかみかかって首でも絞めようか、って勢いでした」

「何ですって？」

「君は黙って！　で、確かに、この女が小川克代を追いかけて行ったんだね」

「間違いありません」

「だからそれは――」

「うるさい！　で、この女はそれからどうした？」

「人ごみに紛れて、よく分りませんでしたけど、ポケットから何かを出そうとしてるようでした。きっとナイフとかピストルとか……」

「お財布よ！」

「君に訊《き》いとらん！　君は、彼女に東京駅で会ったことを隠していた。それだけでも、充分に怪しい」

「そんなこと、訊かなかったでしょ！」

亜由美は思わず立ち上る。

「座れ！」

河村に胸をドンと突かれて、亜由美は床へ引っくり返ってしまった。

「――おい、手荒なことをしてはいかんじゃないか」

と、声がした。

懐しい声！　亜由美は起き上って、

「殿永さん！」

と、思わず大声を上げていた。「会いたかったわ！」

――目撃者の女性が出て行くと、殿永は、渋い顔だ。

「おい、あんな主観的な証言は、裁判じゃ何の役にも立たんぞ。分ってるだろう」

と、言った。

「大きなお世話です」

河村は、ふてくされて、「よその事件に首を突っ込まんで下さい」

「大体、小川克代が殺されたという証拠もないじゃないか。この人を引張って来る根拠に乏し過ぎるよ」

「そうだ！」

依然強気の亜由美、バン、と机の上を叩《たた》いて、「訴えてやるからね！」

「塚川さん、あなたも、もう少し冷静に」

と、殿永が困り切った表情で言った……。

2　本物の殺人

「ね、だから言ったのよ！　私、前からそう言ってたの！」

酔うとくどくなるというのは、何も中年男に限らない。

「もう分ったわよ、直子《なおこ》」

と、聡子は言った。「いい加減にしときなさいよ」

「何よ！　聡子。さてはあんたも気があったのね」

「何の話？」

「とぼけんな！　有坂君のことに決ってんじゃない」

「私は関係ないの、ああいうタイプの人は」

と、聡子は言った。

大学生で大混雑のパブ。――かなり広いのだが、そこが満員で、みんながペチャクチャやっているのだから、やかましいこと！

栗田《くりた》直子に付合っている聡子は、もう頭が痛くなって来ていた。

五、六人で来たのだが、混んでいて、席が分かれてしまった。
「関心ないなら、なんで、いい加減にしろ、なんて言うのよ！　こら！　白状しろ！」

栗田直子は、亜由美などとはまた違った意味で目立つ子である。

ともかく、確かに「ちょっときれい」な子なのだが、化粧がうまいので、相当な美人に見える。

その代り、化粧にかける時間は、勉強にかける時間の十倍とも二十倍とも言われていた。

「やめてよ、もう」

聡子はうんざりしていた。「いい加減にしろ、って言ったのは、アルコールのこと。ちょっと飲み過ぎよ」

「あら、知らないのね、私がどんなに強いか！」

「知ってるけどさ、後で介抱すんの、いやだからね」

「誰が！――あのね、私は酔って気持悪くなったら、面倒みてくれる男が十人はいる。――分る？」

「分る、分る」

「いや、分ってない！　聡子は分ってない！　うん」

舌も少々もつれて、「分ってない」が、「分れない」に聞こえる。

「分ってんのは……。有坂君だけよ」

と、急にしんみりして、「あの人だけが、私のことを分ってくれる……」

「しっかりしてよ。有坂君は婚約してんのよ」

「ふん。——克代なんかの、どこがいいのよ！」

「知らないわ」

「あの子、消えたじゃない」

「どこかへ行ってるだけでしょ。戻って来るわよ」

と、聡子は言った。

すると、直子がクックッと笑い出した。

「ねえ。——気味悪い笑い方しないでくれる？」

と、聡子は文句を言った。

「だって、笑いたくもなるじゃない！」

「忙しい人ね。泣いたり笑ったり」

「誰がいつ泣いたのよ！——私はね、楽しいの」

「あ、そう」

「そうよ！　邪魔者は消せ！　へへ、もう有坂君は、悪い女から、解放されたんだから」

「悪い女？」

「そうよ。知らないの？　小川克代ってのはね、とんだ猫かぶりなんだから！」

「あんたは虎ね」

「虎か、ハハ……。ま、そうかもね」

「でも、小川克代は──」

「ああ！　やめてやめて！　その名を二度と口に出すなかれ！　汝《なんじ》の上に災いがふりかかるであろう」

と、ご託宣を下すと、「言ってるでしょ。もうあの女は戻らないの」

「そんなこと、分んないじゃない」

「分ってるって。私が追っ払ったんだから、あの女を」

「克代を？　それ、どういう意味？」

聡子は興味を感じて、訊《き》いた。

「ふふ、内緒、内緒。これはね、重大な秘密なの」

と、直子は指を立てて振ると、「ちょっと……トイレに……」

と、スツールから下りてよろけた。

「大丈夫？　ついて行こうか？」

「何言ってんの！　平気よ、平気……。まだまだ、酔ってなんかいないぞ！」

直子は、ふらふらと、トイレの方へ歩いて行った。

聡子は、あまり飲む気になれなかったせいもあって、ほとんど酔っていない。

今の直子の話は、何だろう?——亜由美が連行されたりしたので、聡子としても、いやでも興味を持たざるを得ない。

「亜由美に言っとこう」

と、聡子は呟《つぶや》いた。

——一方、栗田直子の方は、何とかトイレに辿《たど》り着くと、鏡の前で、深呼吸をした。

「あーあ、暑い！」

店の中は凄《すご》い熱気である。ここへ来て、少し空気がひんやりしているので、頬《ほお》のほてりを、余計に感じるのだ。

直子は、水を出して、両手に受けると、ピチャピチャと頬を叩《たた》いた。

「うーっ！　冷たい！」

と、頭を振る。

目をつぶって、ハンカチで、そっと顔を拭《ふ》いていると——誰かの足音が、背後に聞こえた。

もちろん、誰かいたって、不思議じゃないのだわ……。こんなに店が混んでるんだからね。

鏡の中の顔に、ピントが合った。後ろに立って、肩越しに、直子の顔を見ている。

直子が、目を見開いた。――驚きと、ショック。

振り向く間はなかった。鋭い刃物が、直子の背から入って、心臓までを貫いた。

素早く、その人影がトイレを出て行くまで、数秒しかかからなかった。

直子は、痛さと共に、ひどい重さを感じた。

どうしたんだろう？　何かがのしかかって来る。肩を押えつけて、ぐいぐいと押して来る……。

冷たい床に、直子は膝《ひざ》をついた。

誰なの？　やめて。立たせてよ。

しかし、そこには誰もいなくて、直子の感じた「重さ」は、自分自身の体の重さだったことを……。そう気付く前に、直子の意識は薄れて、倒れた時、床の冷たさすらも、感じなくなっていたのだ……。


「――ともかく大混乱になったのよ」

と、聡子は言った。「ああ、痛い」

「大丈夫？」

亜由美が、聡子の額の傷を、そっとハンカチで拭いてやった。

「いたた！　わざと痛くする！」

「誰が！」

——パブの中は、悲惨な状態であった。

テーブルは引っくり返り、椅子《いす》は倒れ、グラスの破片が飛び散っている。もちろん、床にぶちまけられた各種の飲物が、床一杯に広がって、何とも異様な匂《にお》いを発していた。

「——見付けた子が、金切り声でね、『人殺し！』って叫んだの。店中に響きわたる声でね。それで、もう……。我先に逃げ出して、大騒ぎ」

「さすがに、神田さんは勇敢ですよ」

と、言ったのは、亜由美と一緒に駆けつけて来た殿永だった。「ここに踏み止《とど》まっておられた」

「とんでもない。もう人に踏みつぶされるかと思って……。カウンターの下に小さくなって隠れてたんですわ」

「しかし、賢明でしたよ。ガラスの破片を踏んづけたり、蹴飛《けと》ばされたりして、けが人が十人以上。——怖いもんだ」

「でも、殺された人に比べれば……」

と、亜由美が言った。「どうして栗田さんが」

「よく知っていたんですか」

と、殿永が訊《き》いた。

「同じ学年ですから。——あんまり、頭のいい子じゃないけど、でもそう人に嫌われていたとも思えません」

と、亜由美は言った。「即死ですか」

「刃物で一突き。まず数秒間だったでしょうね」

「いやになっちゃうね」

と、亜由美はため息をついた。「行方不明だの、殺人だの。——うちの大学、呪《のろ》われてんじゃない？」

「でも、亜由美」

と、聡子が言った。「その二つ、関係があるのかもしれないわよ」

亜由美は、一瞬詰って、

「何よ、それ？　どういう意味？」

と、訊いた。

聡子が、栗田直子の言っていたことを話してやると、殿永も大いに興味を持ったらしい。

「――『私が追っ払った』と。そう言ったんですね、栗田直子さんは」

「そうです。どんなつもりで言ったのかは分らないけど」

「酔った勢いかしら」

「それも考えられますが、しかし、『いなくなって、せいせいした』ぐらいならともかく、『追っ払った』とまで言うでしょうかね」

「もし、本当に栗田さんが、小川克代を……。でも、どうやって？　まさか殺したりしないでしょ、あの子」

「殺したのなら、いくら酔っても、口には出さんでしょう」

殿永の言葉に、亜由美と聡子も肯《うなず》いた。

それに――いくら有坂を克代にとられた、と怒っているからといって、殺し合いなんてことが……。マフィアの世界じゃないんだから！

「これは、どうも大変なことになりそうな気がしますな」

と、殿永が、沈んだ口調で言った。

「というと……」

「ただ、小川克代という女の子がどこかへ行っちまったというだけのことではなさそうです。――どうも、裏に何かありそうだ」

亜由美も同感だった。

しかし、今度ばかりは、いつものように呑気《のんき》な顔で、事件に首を突っ込んでいるわけにはいかない。何しろ、下手《へた》すりゃ自分の方に、容疑がかかって来そうなのだ。

「——で、亜由美、疑いは晴れたの？」

聡子と二人で、外へ出る。もう、大分遅い時間で、それでもパブの前は、野次馬や報道陣で混雑していた。

聡子に訊かれて、

「知らん」

と、亜由美は肩をすくめて見せた。

「でも——」

「後ろを見りゃ、ちゃんと分る」

「後ろ？」

歩きながら聡子は振り向いて、「——あ。あの刑事」

「でしょ？　しつこく、ついて歩いてんの」

河村刑事である。

殿永にたしなめられて、渋々亜由美を帰したものの、相変らず疑ってかかっているらしい。

「失敬な奴《やつ》ねえ」

「ヒマなんでしょ」

と、亜由美は言った。「気にしないことにしたの」

「それがいいね」

聡子は、伸びをして、「──それにしても、この辺は明るいね」

もう十二時近いはずだが、ネオンの光で、真昼のようだ。

大学生だけでなく、どう見ても高校生とか、下手すりゃ中学生という女の子が、何人かで連れ立って歩いていたりする。

危いなあ、と亜由美は、いささか親心めいた心配をするのだった。

「──あれ？」

と、亜由美は足を止めた。

「どうしたの？」

「今──あっちへ歩いてった」

「誰が？」

「あの子よ。あの──あの──」

亜由美は、名前を度忘れして、「ともかく──どうでもいい！」

と、駆け出した。

「ちょっと！　亜由美！」

聡子が、あわてて追いかける。

そう、亜由美は、確かに小川克代らしい女の子を、ネオンの光の中に見たのだった。

「――ちょっと――失礼！」

人にぶつかりそうになりながら、亜由美はその女の子が消えた方向へと駆けて行ったが……。

だめか！

足を止め、息を弾ませる。――大きな交差点に出たので、ともかく凄い人出だ。

これじゃ、とても見付けられない。

「亜由美！　何よ、一人で走ってっちゃって！」

聡子がハアハアいいながら、追いついて来る。

「今、見たのよ。克代を」

「ええ？　本当に？」

「確かに……。チラッとだったけど」

亜由美は首を振った。「悔しいなあ、こんなに人が出てなきゃ……」

「うん、これじゃ、人一人捜すのなんて、とてもじゃないけどね」

そこへ、突然、亜由美はグイと肩をつかまれて、危うく引っくり返りそうになった。

「キャアッ！」

「うるさい！」

「何よ、あんた！」

亜由美は、河村刑事をにらみつけて、「いきなり何すんのよ。いやらしい！」

「何だと？　突然逃げ出そうとしたじゃないか！　尾行されていると知って逃げるのは、やましい所のある証拠だ！」

河村の方もむきになっているのだ。

「何ですって、この……」

亜由美は、またまたカーッと頭に血が上ってしまった。

「亜由美、落ちついて！」

聡子の声も、既に虚しかったのである……。

3　アルバイト

「私のこの優しさを分ってくれるのは、お前だけよ。——ねえ」

亜由美は、ベッドに引っくり返って、下にいるドン・ファンに話しかけていた。

どうもこのヒロインは、よくベッドに引っくり返っているが、恋人と二人ならともかく、いつも一人か、せいぜい一人と一匹では、あまり色っぽくもない。

だが——。今日ばかりは、亜由美も好きで寝転がってるわけじゃないのだ。

「——亜由美」

と、ドアが開いて、母の清美が顔を出す。

「お母さん！　ノックしてから入って、って言ってるでしょ」

と、亜由美はふくれっつらで言った。

「あら、何かまずかった？」

「何もなくとも、もっとプライバシーを尊重してほしいの。いくら停学中の娘でもね」

——そう。あの河村という刑事の向うずねを思い切りけり上げて、公務執行妨害の現行犯で逮捕。

釈放されたものの、学校は十日間の停学処分になってしまったのである……。

「今度黙って入って来たら、犬をけしかけるからね」

「犬って？」

「もちろんドン・ファンよ」

「——それをけしかけるの？」

と、清美が言った。

ん？——亜由美がベッドから身をのり出して見ると、当の「猛犬」は、お腹を真上に、完全に仰向《あおむ》けになって、グーグー眠っているのだった……。

「もう！　役立たず！」

亜由美は頭に来て言った。「お母さん、何の用？」

「お客様よ」

と、清美が言うと、有坂宏行が、ヒョイと顔を出した。

「やあ、どうだい？」

「あ——有坂君！」

亜由美はあわててベッドから降りた。「お母さん！　何で初めにそう言わないのよ、もう！」

「だって、お前が何だかんだ言うから」

「いいから、早くお茶でも——。有坂君、悪いけど、居間で待ってて！」

二人を押し出し、亜由美は、ハアッと息をついた。「ああ、びっくりした！」

——しかし、何とか髪の毛などを見られるように整えて居間へ下りて行った亜由美は、もっとびっくりすることになった。

「——君のお母さん、面白い人だね」

と、有坂が紅茶を飲みながら、言った。

「困っちゃうのよ、全く。世間の常識の通用しない人だから」

まあ、亜由美も、他人のことを言えた義理じゃない。

清美は夕食の買物に出て、亜由美は有坂と居間で二人になった。

といって――ラブシーンにもなりそうにないところが、亜由美らしさである。

「克代のこと、何もつかめないの?」

と、亜由美は訊《き》いた。

「うん。結局、振られただけなのかもしれないな」

と、有坂は言った。

栗田直子が殺されたことは、もちろん大学でも話題になっている。しかし、それが小川克代の失踪《しっそう》と関係あるかもしれないというのは、マスコミにも伏せてあったから、当然、有坂も知らないのである。

「そんなことないと思うけど」

「どうかな……。君にも、すっかり迷惑かけちゃったね」

「別にいいのよ、私は」

「実はね……。凄《すご》く、無茶な、頼み辛いことなんだけど」

と、有坂は、目を伏せて言った。

「なに?　一億円貸せとか言われても、ちょっと困るんだけどね」

亜由美としては、もちろん冗談で言ったのである。

しかし、有坂は至って真顔で、

「いや、お金ならいくらでもあるんだ、うちは」

と、言った。

へ？――いくらでも、ってのは凄《すご》い発言である。

考えてみりゃ、有坂のこと、すてきだとか言いながら、どんな家の息子なのか、聞いたこともなかった。

「実はね、僕の両親がまだ克代に会っていなかったんだよ」

「そうなの？　だって、正式に結婚の約束までしてたんでしょ？」

「うん。でも、両親がちょうどサン・モリッツに行っててね」

「サン・モリッツ……？　そこ、もしかして外国だっけ？」

「スイスだよ。きれいないい町なんだ」

「そこに――お仕事か何かで？」

「別荘があるんだ。一年の半分くらいはあそこにいるんだよ」

「へえ……」

「で、明日、久しぶりに日本に帰って来る。もちろん、克代のことは手紙や電話で知らせてあるけど、帰って来たら会わせなきゃいけない」

「でも……。いなくなったってことは、知らないのね」

「うん。──何だか言いにくくてね。それにいつ帰って来るか、と思ってたし」

「でも、しょうがないじゃない」

「うん……。しかし、勝手に姿をくらましちゃった、なんて言ったら、きっと父も母も怒っちまうと思うんだ。だから、克代が無事に帰るまで、何とかごまかしておきたいんだよ、僕は」

「ふーん。でも、どうやって？　まさか他の女の子を連れてって、これが彼女です、ってわけにもいかないでしょ」

有坂は、何となく複雑な顔で、亜由美を見ていた。

やっと──亜由美も分った。

「私？──私が、克代の代りをやるの？」

「いや、こんなこと頼めるの、他にいないんだ。君はほら、カラッとしてて、ビジネスライクにパッと割り切れるタイプだろ。だからその──アルバイト、ってことで……」

「アルバイト？」

「明日、両親に会って、うちに一泊してくれればいいんだ。──どうだろう。十万円出すけど」

「十……」

十円じゃないのね！　凄い！

いや、そんな……。お金じゃない！

問題はプライドなのだ。亜由美だって、女である。

しかも、有坂を憎からず思っていたというのに……。フィアンセの役をやれ、なんて、そんな！

あまりに無神経な頼みだわ。女心を傷つけるとしか言えないわ。とんでもない話よ！

「——どう？」

と、有坂が恐る恐る訊《き》く。

「やるわ」

と、亜由美は言った。

もちろん、亜由美としては、お金ほしさに引き受けたのではない。

小川克代の失踪をめぐっては、どうも分らないことが多すぎる。

ここは一つ、有坂のことも少し知っておく必要があるかもしれない、というので、引き受けたのである。で、ついでに十万円もらえりゃ、そりゃないよりいいし……。

と、言いわけはともかく——。

そのころ、買物に出た母親の清美は、町中を歩きながら、悩んでいた。

「そうねえ……。どっちだったかしら」

と、首をかしげる。

買物のメモを忘れて来てしまったのだが、それは誰でもよくあることだ。

普通なら、その場合、メモに何を書いておいたか、と考えるのだが、清美の場合は、少し違っていた。

「メモを書くのを忘れたのかしら？　それとも書いたのを持って来るのを忘れたのかしら？　どっちだったかしら？」

と、あまり意味のない悩み方をしていたのである。

考えごとをしていた清美は（この辺も普通とは逆だが）、少し前を歩いて行く若い女性を見て、あら、どこかで見た顔だわ、と考えたりしていた。

そう。――誰かに似てる。

亜由美……じゃないわね。亜由美の顔ならよく憶えてる（当り前だが）。

亜由美が言ってた女の子――そう、何だかどこかへ行っちゃったとかいう子と、よく似てる。

「そうだわ。――あの、ちょっと」

と、清美は声をかけた。「小川克代さんじゃありません？」

小川克代の名がスンナリ出て来たというのも、自分にとって驚きだった（！）。

その女は、振り向いた。

「あの——違っていたらごめんなさい。何だか似てらっしゃるので」

「どなたですか？」

と、その女が訊いた。

「私、塚川亜由美の母ですの」

「そうですか」

「あの……小川克代さんですの？」

「いえ、私、克代の妹です」

と、その女は言った。

「妹さん？」

「双子の姉妹なので、よく間違えられます」

と、その女は言った。「塚川さんって、姉から聞いたことがありますわ。とてもいい方だって」

「ええ、まあ人並みに。顔の方はともかく、人柄は悪くありませんの」

そのころ、亜由美がクシャミしてたかどうかは、分らないが。

「姉のことで、ご心配いただいてるんじゃないでしょうか」

と、その女は言って、「ああ、失礼しました。私、小川幸代《さちよ》といいます」

「幸代さん。——何だか、克代さんが、どこかへ行ってしまって、見付からないとか……」

「そうなんです」

と、幸代というその娘は肯《うなず》いて、「それで私も東京へ出て来たんです。今、あちこち、心当りを捜しているんですけど」

「それは大変ねえ。早く見付かるといいですね」

「ありがとうございます」

「うちはこの近くですのよ。いつでもお寄り下さいね」

「ご親切に。——じゃ、失礼します」

と、頭を下げ、足早に立ち去る。

それを見送って、

「なかなか礼儀正しくて気持のいい子だわ」

と、清美は呟《つぶや》いた。「——あら、私、何の用事で出かけて来たのかしら?」

買物。——そう、買物だった。

清美は、今度は全くメモなしで、買物をすませてしまった。

メモがないということも、忘れていたのである。

「——ただいま」

清美が家へ帰ると、もう有坂は帰っていて、亜由美は、有坂の家へ行くのに、何を着て行こうかと鏡の前で悩んでいた。

「お帰り。有坂君、もう帰ったよ」

「あ、そうか。お客様だったのね。──何してるの？」

「有坂君のお宅へ招《よ》ばれてるの。何を着てこうかと思って」

「へえ。──お酒落《しやれ》して行くの？」

「うん。何せ、向うは大金持」

「じゃ、大丈夫よ、何着てっても」

亜由美は母を見て、

「どうしてそういうことになるの？」

「お前の持ってるものなら、どれも五十歩百歩よ」

「はっきり言うわねえ。だったら、そうでないもの買ってよ」

「自分で買いなさい。──あら、TVが点《つ》いてる？」

「お父さんよ」

「あら早かったのね」

「今日は、何だか『金髪の天使』とかいうアニメの最終回なんだって」

亜由美の父は、ごく普通のサラリーマンだが、趣味が少し変っていて、少女向けアニメを見てワンワン泣くのが何よりの楽しみなのである。

「――いや、すばらしかった！」

と、当の父親が、目を拭いながらやって来た。

「ハッピーエンドだったの？」

と、亜由美は訊《き》いた。

「うん！　お前、何とヒロインのセーラと、あのサーカス小屋の親父が親子だったんだぞ！　いや、本当に良かった」

たまたま、「親子でした」なんてのは、いかにもご都合主義だが、それをこんなに喜ぶ人もいるのだから、まあ、そう目くじら立てることもない、か……。

「そりゃ、おめでとう」

「セーラが幸せになったお祝いに、今日は外で食事をしよう！」

亜由美は吹き出してしまった。

「――それなら、食事の仕度はしませんよ」

と、清美は言って、「そういうことは、もっと早く言ってくれなきゃ」

「そんなこと言ったって、あのアニメが、ハッピーエンドで終るかどうか、分らなかったんだから、しょうがないじゃないか」

父親の理論のユニークさに、亜由美はすっかり感心してしまった。

「じゃ、うんと高いお店に行こう」

と、亜由美が言うと、父親は少し複雑な表情になって、

「しかしな、セーラは貧しい家にこそ本当の幸せがある、と……」

「そうそう」

と、清美が台所の方へ行きかけて、また戻って来ると、「今、外でね、あの人の妹さんに会ったわよ」

「あ、そう」

亜由美はいい加減に返事をした。

そして「あの人」が誰のことなのかも、確かめようとしなかったのである……。

4　深夜の集会

「オス、亜由美！」

と、亜由美たち三人のテーブルへやって来たのは、久野友香《くのともか》だった。

亜由美とは同期。そう親しいわけでもなかったが、会えばおしゃべりぐらいはする仲である。

「やあ、友香。お言葉に従って、来てみたのよ」

と、亜由美は言った。

「どうぞどうぞ。大歓迎よ。兄貴に言って、少し安くさせるから」

「どうも」

――この真新しいフランス料理のレストラン。オーナー兼シェフが、この久野友香の兄なのだ。

前から、

「一度来てね」

と、言われていたので、それじゃいいチャンス、と両親を引張って来たのだった。

「味の方はいかが？」

と、友香が訊く。

「うん、おいしい！」

「本当、結構なお味」

と、清美も微笑《ほほえ》む。

「うん。これは、きっとセーラでも感動する味だよ」

と、亜由美の父が言った。

「何？」

友香が面食らっている。亜由美は、あわてて、

「あのね、お兄様に、よろしく伝えてね」

と、言った。

「後で挨拶《あいさつ》に来させるから。――いらっしゃいませ」

友香は、新しく入って来た客の方へと、歩いて行った。「ご予約は……」

「――友香、この店を手伝っているのよね」

と、亜由美は言った。

「偉いわね。お前と違って」

「お母さん、それはないいんじゃない？　うちはフランス料理店じゃないんだから！」

久野友香は、確かにこんな仕事をしているせいもあるのか、大学生とは思えないくらい大人《おとな》びている。

美人、というわけではないが、ちょっと妖《あや》しい色っぽさみたいなものを感じさせるのだった。

「大学の先生たちに、うけがいいの。レポートの点なんかもね、彼女には甘いんだなあ、みんな」

「そうか？」

と、父が首をかしげて、「俺《おれ》はハイジの方が好きだ」

「お父さんの趣味にゃ、ついていけないよ。――もっとも、当人もね、中年男性は目じゃないの」

そういえば……。久野友香も、有坂宏行に熱を上げていた一人である。

栗田直子に比べれば、女としての魅力という点では、友香の方が絶対に強い。

有坂が小川克代を選んだのは、確かに後になれば、

「へえ、ああいうのが好みだったのか」

と、肯《うなず》けても、その時は誰もがびっくりしたものだ。

それ以前の下馬評では、トップが、この友香だったのである。

亜由美？――まあ、亜由美自身、レースに積極的に参加していたわけでもなかったのだ……。

「来週からは、また面白いぞ」

と、父がナプキンで口を拭《ぬぐ》ってから、言った。

「何が？」

「もちろん、あの『アニメ名作座』の枠だよ」

「ああ、何だ」

「双子の美しい姉妹がいてな、幼い時に別れ別れになるんだ。そして、一人は――」

「山へしば刈りに、一人は川へ洗濯に」

「亜由美！」

「はいはい、ごめん」

何しろアニメのこととなると、本気で怒るんだから！

「一人は大富豪の養子、一人は貧しい靴職人の家にもらわれて行く。その二人が運命のいたずらで、ある船に乗り込むんだ。そこへ襲いかかる嵐《あらし》と海賊！」

「お父さん！　分ったから、ナイフを振り回して、大声出さないでくれる？」

「ん？　いや、別に普通の声だぞ」

「家へ帰ってからにしてくれる、アニメの話は」

「うん、分った。しかし……また大いに泣けそうだ」

と、父親は、新たな生きがいを得て、目を輝かせている。

「双子っていえば、あの人も良く似てたのよね」

と、清美が言った。

「誰のこと？」

「ほら、お前の言ってた……。誰だっけ」

「双子の知り合いって、いないと思うけどな、私……」

「それが、いたのよ！　今日買物に出てね、バッタリ会って――」

「だから、誰のこと？」

「ほら……ええと……何ていったかしら」

あの時はスッと名前が出たのに。うまく行かないもんね、と清美は思った。

「いらっしゃいませ」

と、声がして、友香がシェフを案内して来た。

「兄です。――こちら塚川さん」

「いつも妹がお世話になりまして」

「いいえ。とてもすばらしいお味で」

と、清美が言った。

「恐れ入ります。どうぞごゆっくりなさって下さい」

他のテーブルにも、なじみ客が来ていたらしく、挨拶《あいさつ》に回っている。

「かっこいいじゃないの、お兄さん」

と、亜由美は友香に言った。

「言っとくわ。割引きしてくれるかも」

「でも――」

と、清美が言った。「あの高い帽子、よく前に落ちないわね」

「お母さん、変なことに感心しないでよ」

と、亜由美は苦笑した。

「そうだわ、幸代さん」

何の関係もなく思い出すのが清美らしいところだ。

「幸代？　誰、それ？」

「双子の妹さん。ほら、お前の言ってた、小川克代って人の妹」

小川克代と聞いて、歩きかけていた友香がサッと振り向いた。

亜由美ももちろん面食らった。

「それ、何の話？」

「うん、会ったのよ、そっくりな人と」

清美の話に、亜由美は唖然《あぜん》とした。

「――友香、そんなこと、聞いてた？」

「全然。あの人に妹がいたなんて、初耳だわ」

と、友香は言った。

亜由美は、友香が、いやに青ざめているのに気付いた。どうしたのだろう？

「ちょっとごめんなさい」

友香は、店の奥へと入って行った。

「お前のこと、とてもいい人だと聞いてますって、言ってたわよ」

「そう……」

亜由美は肯いた。

——小川克代に双子の妹？

有坂だって、そんなことは言っていなかった。

両親を亡くしているという克代が、そんな双子の妹のことを、有坂に黙っているなんてことがあるだろうか？

そう。——もしかしたら、それは、小川克代当人だったのかもしれない。

「——ちょっとごめんなさい」

亜由美は席を立つと、店の入口の近くにある電話の方へと歩いて行った。

電話は、ちょっと壁の凹《くぼ》んだ所にあって、見えないようになっている。

「——そうなの。彼女の妹だって」

と、友香の声が聞こえて、亜由美は足を止めた。

誰かに電話している。——亜由美はチラッと店の中へ目をやった。

誰もこっちを見ていない。亜由美は、友香の声に耳をそばだてた。

立ち聞きというのは、もちろん感心したことではないが、この場合は仕方ない（と、いつも亜由美は自分に言い聞かせているのである）。

「——そうなのよ。——ともかく、みんなで話し合おうよ。今夜、兄の店に来てくれない？」

ここへ？「みんな」というのは、誰のことだろう？

「――うん。兄には断っとくから。――十時過ぎね。――じゃ、連絡しておいて。いいわね」

友香が電話を切る。

亜由美は、急いで二、三歩退《さ》がると、タッタッと歩いて行って、友香とぶつかりそうになった。

「あ、ごめん！　電話借りたいんだけど……」

「ここよ。お店の電話、使ってもいいのよ、別に」

「ううん。私用だから」

と、亜由美は笑顔で、言った。

「彼氏？」

「――の、一人」

「やる！」

「ハハ。――じゃあ」

亜由美は、その電話から、殿永へかけたのである。

友香は、新しく来た客の相手をしているので、聞かれる心配はなかった。

「――ほう、それは面白い」

話を聞いて、殿永は言った。

「もしかして、本人かもしれないと思ったんです」

「その可能性はありますな」

と、殿永は言った。「しかし、そう決めつけてしまうのも良くない。ともかく、双子の妹が本当にいるのかどうか、早速、当ってみます」

「よろしく。あ、それから――」

「何です？」

「殿永さん、今夜はおひまですか？」

「は？」

「よろしかったら、二人で楽しい時を過しません？」

「あのね、私は忙しいんです」

「もちろん、張り込み、っていう楽しいデートですけど」

殿永は笑って、

「やれやれ、ドキッとしましたよ」

「期待しました？」

「どうやって逃げようかと思いました」

「まあ、ひどい」

「また物騒なことをやらかしてるんじゃありませんか？」

「だから、お誘いしてるんですわ」

「分りましたよ」

と、殿永は言った。「で、どこへ何時に行けば？」


「――今、何時です？」

と、亜由美は訊《き》いた。

「十時……二十分」

と、殿永は、腕時計を見て、言った。

あの、久野友香の兄のレストランから、少し離れて、車が停っている。亜由美と殿永の二人は、その中から、レストランの入口を見張っていた。

「まだ来ないわ」

「誰が来るのかな」

「分らないけど……。でも、友香の様子はおかしかったんですもの」

「ふむ。もし、本当に、小川幸代という女性がいるとしたら……」

「栗田直子を殺したのも？」

「さあね」

と、殿永は首を振った。「ともかく、小川克代が殺されたかどうかも分らないんですからね」

「そう思ってる人もいるみたい」

そういえば、河村はどうしたんだろう、と亜由美は思った。諦《あきら》めたのかしら？

「タクシーだわ」

「頭を下げて！　ライトが当ります」

二人は、頭を低くした。亜由美は、あわてて、ダッシュボードに頭をぶつけて、火花が散った。

「――タクシーが、レストランの前で停りましたよ」

「写真を……」

「大丈夫」

カシャッと音がして、ポラロイドカメラのシャッターが落ちる。

頭を出すと、友香が扉を開けて、女の子を二人、店の中へ入れるところだった。

「――入って行ったわ。顔は見えなかったけど」

「高感度フィルムですから、何とか……」

少し待って、手もとの明りで写真を見た。

「――知ってる子ですか」

「ええ」

と、亜由美は肯いた。「一人は、佐々木《ささき》さんというんです。もう一人はたぶん……。よく知りませんけど、宮入《みやいり》さんって子じゃないかしら」

「二人とも同じ大学の子ですか」

「そうです」

「ふむ。――その久野友香という子と、その二人、何か共通点は？」

「ええ……」

いささか気は重かった。「三人とも、有坂君に熱を上げてた子たちです」

「――何とね」

殿永は、ため息をついた。「私なんか、誰からも熱を上げられたことがないのに」

そういう殿永の言い方が、実際には、亜由美の気を軽くするためのものだということは、よく分っていた……。

「どういうことかしら」

「たぶん、あなたの考えている通りのことですよ」

亜由美はチラッと殿永を見た。

「でも……。じゃ本当に、栗田さんの言った通りだと？」

「有坂という男の子に入れこんでいた女の子たちが、集まって、小川克代を、何とかして追い出そうとした。――それはどうも確かなようですね」

「まさか、そんなこと……。一番、有坂君、有坂君って騒いでたのは、でも、あの子たちじゃありませんわ」

「誰です？」

「四年生の、米田《よねだ》さんです。米田紀子《のりこ》といって、実際に、有坂君と、しばらく付合っていたこともあるはずです」

「なるほど」

「もちろん……そんなのに加わらない人もいるはずですものね」

「それはそうですな。――おや、誰か来ましたよ。いや、大丈夫。歩きだ」

亜由美は、店の入口の明りに浮んだその女性の顔を見つめた。

扉が開き、中へ入って行く。

「――今のは？」

と、殿永が訊く。

「米田紀子さんです」

と、亜由美は答えた。「どうしますか？」

「さてね。うまく天井裏にでも入って、忍者みたいに盗み聞きできるといいんですが……」

「まさか」

「あの中の誰かを、後で選んで、問い詰めるしかないんじゃないですか。一番気の弱そうな子を」

「分りました」

と、亜由美は肯《うなず》いた。「だけど――まさか殺したりしませんよね」

「そうですな。もちろん、殺し屋の集まりってわけじゃない。そこまではやっていないと思います。しかし、小川克代にとって、有坂との仲を、無理に裂かれたのだとすれば――」

亜由美は肯いた。

「人殺しも同じかもしれませんね」

「もし、克代が、人知れず命を絶っているようなことがあったとすればね」

「自殺？」

「遺書も残さずに姿を消したというのは、真相を、有坂に知られたくなかったのかもしれませんね」

「じゃ……母が会ったのは、本当に妹なんでしょうか」

「さて、何とも。――明日になれば、妹がいるかどうか、はっきりするでしょうがね」

――店の明りは、しばらく消えなかった。

「栗田直子が殺されたのが、果して偶然なのかどうか、話し合っているんでしょうな」

「つまり、全く別の理由で刺された、と……?」

「その線でも当る必要がありますからね」

「といって――話し合っても分ることじゃないでしょう」

「怯《おび》えているんですよ。いや、むしろ信じたくないという気持で集まって、互いに景気づけをしてるんでしょう。一度だけなら、偶然ですみますからね」

「まさか――」

亜由美は、思わず言った。「まさか! あの子たちが狙《ねら》われる、と?」

「TVか映画みたいに次から次へと殺されたくはないですがね。しかし、最悪の事態を、考えておくのは悪いことじゃありません」

――二時間近くたって、やっと店の扉が開いた。

「冗談じゃないわよ!」

「ハハ、むきになってる!」

「冷やかしちゃえ!」

誰が何を言っているのか、にぎやかである。アルコールが入ったようだった。

「――じゃ、タクシー二台だから、方向別に分れて乗るのよ」

と、友香が言っている。

「あ、一台来た」

タクシーが一台、店の前に停って、宮入尚子《なおこ》と米田紀子が乗った。

「バイバイ！」

「電話してね！」

タクシーが走り去る。

久野友香が、佐々木孝子《たかこ》へ、

「店、閉めるから、もしタクシーが来たら、待たせといて」

と言って、店の中へ入って行く。

佐々木孝子は、大分酔っている様子で、道の真中へフラフラと出て、夜空を見上げて、深呼吸をしたりしている。

「——もう一台、来たみたい」

と、亜由美が言った。

車のライトが近付いて来る。

佐々木孝子は、それに向って、手を振った。

「——あれはタクシーじゃない」

と、殿永が言った。「危いぞ！」

亜由美がハッと思う間もなかった。
殿永が車から飛び出した。
佐々木孝子に向って駆け出すと同時に、
「危い！　よけろ！」
と、怒鳴っていた。
佐々木孝子は、道の真中で、立ちすくんでいた。
車はスピードを上げて向って来る。
危い！――亜由美は目を見開いた。
はねられる！
と――何か黒いものがパッと宙を飛んで、佐々木孝子がよろけた。
車が、佐々木孝子を引っかけた。彼女の体がコマのように回って、道端に倒れる。
殿永がわきへ飛ぶと、車は猛スピードで駆け抜けて行った。
亜由美は、車を出て、駆けて行った。
店の中から、友香が出て来る。
「孝子！」
「早く救急車を！」
と、殿永が駆け寄りながら、叫んだ。

亜由美が走って行くと、殿永は、佐々木孝子を抱き起していた。

「気を失っている。――骨が折れてるかもしれんが、命は何とか」

「正面にいたら、死んでたわ」

「全くです。何かが……」

「クウーン」

と、何だか聞き慣れた声。

「――ドン・ファン！」

亜由美は目を丸くした。「お前だったの、この人を助けたのは！」

「ワン」

ドン・ファンは、得意げに、鼻を上に向けて、吠《ほ》えた。

「大したもんだ」

殿永が言った。「どういう訓練をしてるんです？」

「簡単ですわ」

亜由美はドン・ファンの頭を撫《な》でながら、言った。「可愛い女の子にとびつけ、って」

「ワン！」

と、ドン・ファンが応えた。

5　夜の病院にて

「私に感謝してほしいわね」

と、神田聡子は、得意げに言った。

「さっきから何度も感謝してるじゃないの!」

「亜由美のは感謝と言わないのよ」

「じゃ、何なの?」

「感謝する人の方が、やたらいばってるなんて、おかしいと思わない?」

「私が、いついばったって言うのよ」

「今だって、いばってるじゃないの」

ま、神田聡子の言葉にも、真実があることは、亜由美自身、認めていたのである。

ただ――何といっても、事件が起れば、カッコいいホームズ役は自分のもので、聡子はあくまで気のきかないワトスン役。

「ああ、亜由美って何て頭がいいの!」

と、讃嘆《さんたん》の眼差しで見つめる――と、まず決めていたのである。

もっとも、現実に聡子が亜由美に向ってそんなこと、言ったことは一度もなかったが。

「――まあ、しかし今回は神田さんのお手柄ですな」

と、殿永刑事までが聡子を持ち上げるので、亜由美はますます面白くない。

「じゃ、この次から、聡子をヒロインにするように作者に言って下さい」

なんてことは言わなかった。

結局、この二人の、「意味のない、いがみ合い」にけりをつけたのは、「お手柄を立てた当人」――いや、当犬のドン・ファンで、

「ワン」

と、亜由美と聡子の間に立って、一声鳴いたのだった。

「いや、このドン・ファンがいなければ、佐々木孝子さんは、死んでいたでしょうからね、十中八、九は」

と、殿永は言った。

車にはねられそうになった佐々木孝子を、危機一髪、ドン・ファンが飛びかかって、助けたのだ。車に引っかけられた佐々木孝子は、まだ意識不明のまま、この病院で手当を受けている。しかし、命には別状ない、ということで、ドン・ファンが、いわば「命の恩人」であることは、確かだったのである。

――病院の待合室は、深夜のことでもあり、明りを落としてあって、静かだった。

殿永と亜由美、聡子、ドン・ファン、そして、久野友香が、長椅子に座っていた。

「――しかし、一体誰なんでしょうね、神田さんの所へ電話したのは」

と、殿永は言った。

「それは分ってますわ」

と、聡子が言ったので、亜由美と殿永は顔を見合わせた。

「ちょっと、聡子。あんたの話じゃ誰だか分らない女から、あの場所へ急いで行け、って電話がかかったんだ、ってことだったじゃないの」

「ちょっとはしょったのよ。うちへ電話して来たのは、亜由美のお母さん」

「うちの母？」

「そう。その『誰だか分んない女』ってのは、亜由美の家へ電話して来たのよ」

「何だ、そうだったの。どうりでドン・ファンまで、何で出て来たのかと思ったわ」

「亜由美のお母さんがうちへ電話して来て、『今、手が離せないんで、ドン・ファンを連れて行ってもらえませんか』って……」

「母が手を離せない、って……。あんな夜中に、何してたんだろ？」

と、亜由美は首をかしげた。

「何かおっしゃってたけどね」

と、聡子は曖昧《あいまい》に言った。

「何て言ってた？」

「いいわよ、別に」

「良くないよ。母がもう少し早く電話していれば、佐々木さんは、けがもせずにすんだかもしれないじゃない」

「だけど——色々あるわよ、そりゃ」

「何が？」

「だからさ、その……」

と、聡子は何だか一人で照れている。

「何なのよ、はっきり言ってよ」

「その——つまり、お母さんのおっしゃった通りに言うと、『今、ちょっと主人と愛し合っているもんですからね』って」

亜由美は真赤になった……。

「——で、亜由美の家まで行ってみたら、ドン・ファンが家の前にふてくされて座ってたのよ。外へ出されてたらしくて」

「呆《あき》れた！　もう、全く——」

「いいじゃないの。ご夫婦なんだから、当然……」

「それにしたって！」

亜由美の、「穴があったら入りたい」という気分は、幸い、長く続かなかった。

ちょうど、当直だった医師が、ため息をつきながら、やって来たのである。

「どうですか、患者は」

と、殿永が訊《き》いた。

「今、眠っています」

と、医師は肯《うなず》いて、「幸い、骨も折れていませんでした。打ち身はありますが、まあ、傷が残るようなことはないでしょう」

「そりゃ良かった！　今、家の人には連絡しましたし、じき着くでしょう」

「みえたら、看護婦に言って下さい。――では」

医師は、欠伸《あくび》しながら、スリッパをパタパタいわせて、歩いて行った。

「さて、と……」

殿永は、久野友香の方へと向いた。「幸い、佐々木孝子さんは、助かりました。しかし、この次も、こんなに幸運とは限りませんよ」

こわばった顔で医師の話を聞いていた久野友香は、ドキッとした様子で、

「それはどういう意味でしょうか」

と、訊き返した。

「お分りだと思いますがね」

「一向に分りませんわ」

と、友香は強がって見せたが、かなり動揺していることは見てとれる。

「友香」

と、亜由美が言った。「栗田さんが殺されたのも、今夜のことと何か関係あるんじゃないの？」

「知らないわよ、私」

と、友香は目をそらしている。

「隠さないで。宮入さん、米田さん、佐々木さん……。みんな、有坂君のこと、気にしてた子ばっかりじゃない」

「そんなの……」

と、友香は言い淀《よど》んで、それから反抗的な目で亜由美を見ると、「分ったわ。そうなのね」

「何のこと？」

「亜由美も有坂君を好きだったからね。私たちも同じだと思ったのね。とんでもないわ。別に、有坂君に振り向いてもらわなくても、こっちは一向に困らないわよ。亜由美と違ってね」

これには亜由美もカチンと来た。

「それ、どういう意味よ！」

「ちょっと、亜由美」

と、聡子があわてて、「病院よ。大きい声出さないで」

「そんなの分ってるわよ！」

亜由美も、何とか声は低く抑えて言った。

殿永が、代って、

「久野さん、でしたね。では、あのレストランで集まっていたのはなぜです？」

と、訊く。

「お答えしますわ」

と、別の所から声がした。

「米田さん」

と、亜由美が言った。

米田紀子が、立っていたのだ。

「米田紀子です」

と、殿永の方へ挨拶《あいさつ》して、「佐々木さんのお宅の方からお電話をいただいて、びっくりして飛んで来ました」

「そうですか」

米田紀子は、もちろん四年生だから、まだ二十二歳のはずだが、ずいぶん大人《おとな》びて見えた。
二十七、八といっても通じるだろう。若くはあるが、落ちついている。
「何だか、私たちのことを誤解しておられるようですね」

と、米田紀子は言った。

「といいますと？」

「私たちが、有坂さんをとられたので、小川克代さんをどうかしたように思っておられるようですけど」

「そうなんですか？」

「とんでもない」

と、米田紀子は首を振った。「確かに、私たちは有坂君のことがすてきだと騒いでいましたわ。でも、本気かどうかは別です」

「すると、彼女の失踪《しっそう》についても心当りがない、と？」

「全くありません。むしろ私たち心配して、何とか小川克代さんを捜す方法がないかと話し合っていたんですもの」

米田紀子の話し方は、いかにも穏やかで、冷静だった。少し冷静すぎるような気さえした。

「そうよ」

と、久野友香が言った。「私も今、そう言おうと思ってたのよ」

「なるほど」

殿永は肯いて、「栗田直子さんの事件についても、全く思い当らない、というわけですな」

「もちろんですわ」

と、米田紀子は言った。「それに栗田さんの場合は、結構派手に遊んでいましたから。全然別のことで、恨まれていたんじゃないでしょうか」

「なるほど、分りました。では、もう私の仕事もないようです。私はこれで失礼します」

殿永が、アッサリ帰ろうとするので、亜由美はあわてて、

「待って！　私も帰りますから。——ドン・ファン、行こう」

「私も帰るわよ」

と、神田聡子もついて来て、ゾロゾロと病院を出ることになってしまった。

「——殿永さん、どうしてもっとしつこく問い詰めなかったんです？」

と、亜由美は外へ出てから言った。

「向うの出方を見た方がいいと思ったからですよ。しかし、もちろん目は離しません。

あの三人の内の誰かが、次に狙《ねら》われるかもしれないんですから」

「それにしたって、友香の奴《やつ》！」

と、亜由美は、すっかり腹を立てている。「あんな人だとは思わなかったわ」

「ワン」

と、ドン・ファンが同意した（?）。

「いや、必ずしもそうとは限りませんよ」

と、殿永は言った。

「どうしてですか？」

「久野友香は、私たちと向い合っていた。私たちの後ろには誰がいましたか」

亜由美はハッとして、

「米田さんだわ」

「そうです。あの女性が、いつからあそこに立って、我々の話を聞いていたかしりませんがね」

「じゃ、友香は、米田さんが聞いているのに気付いて、わざとあんなことを……。やっぱりそうだったのね！　友香がそんな子じゃないってこと、私には分ってたわ」

と、亜由美が肯《うなず》きながら言うと、

「ついてけないよ、亜由美には」

と、聡子が苦笑した。

「クウーン」

ドン・ファンもどうやら同感の様子だった……。


「――ただいま」

亜由美は、かなり疲れ切って、家の中へ入って行った。

もう夜中で、当然、誰も起きていないと思ったのだが、つい習慣で、「ただいま」と言っていたのである。

だが……。居間に明りが点《つ》いているのに気付いて、亜由美はびっくりした。そして、母の清美がクスクス笑っているのが聞こえて来る。

亜由美は、聡子の話を思い出した。――まさか！　いくら何でもこんなに遅くまで……。

でも――分らないわ。突然、今になって、お母さん、「女の歓《よろこ》び」に目覚めて……。

「ただいま……」

亜由美は、恐る恐る居間に顔を出した。

「――あら、亜由美、お帰り。遅かったのね、ずいぶん」

と、清美が言った。

TVが点いていて、何だかコメディらしいものをやっている。亜由美はホッと息をついた。

「何見てるの、こんな時間に？」

「いつも、いい時間にはお父さんがアニメを見てるでしょ。だから、私の見たい番組はビデオにとって、後で見ることにしたの」

「へえ」

母に、ビデオのタイマー録画なんてことができるとは、亜由美にとっては驚きだった。

「これがそうなの？」

「ううん。セットしたら、何だか間違えてたらしくて、全然別の番組が入ってたの。でも、結構面白くてね」

やっぱり、お母さんらしいや、と亜由美は思った。

「そうそう」

と、清美は思い出して、「聡子さん、どこだかへ行った？　伝言したんだけど」

「うん、ちゃんと来たわよ」

「本当？　へえ！」

自分がびっくりしてりゃ世話はない。

「お父さん、もう寝たの？」

と、亜由美は、わざと訊いてやった。

「ええ。何だかくたびれたとか言ってね」

「ふーん」

「あの人だったわよ」

「何が？」

「電話して来た人。あの何とかさんの妹」

亜由美は、ちょっと考えて、

「もしかして――小川克代の？」

「そうそう。小川克代さん、だったかしらね、確か」

「向うがそう名乗ったの？」

「名前は言わなかったわよ」

「じゃ、どうして分ったの？」

「だって、分ったんだもの」

清美は理屈の人ではない。その代り、その直感は、かなりの確率で当ることがある。

「そう……。他に何も言わなかった？」

「別に」

と、清美は言って、「そうそう。あんたによろしくって」

「私に？」

「それから、有坂さんによろしく言ってくれ、って、あんたに言ってくれ、って」

「何だかややこしい話ね」

と、亜由美は言ってから、思い出した。

明日は――いや、もう今日だったが――有坂の家に、克代の「代役」で行かなくてはならないのだ！

「早く寝なきゃ！」

亜由美はあわてて二階へ駆け上ろうとして――階段を踏み外して、ドタドタタッ、と音を立てて落っこちた。

「あの子も少し落ちついてくれないとねえ……」

と、清美はそれを聞いて、心配そうに呟《つぶや》いたのだった。

6　奇妙な一夜

「これが――」

と、有坂宏行が言った。「小川克代さんだよ」

「初めまして。小川克代です」

と、亜由美は深々と頭を下げて、言った。

やれやれ、良かった。——心配だったのである。有坂に紹介されて、つい、

「塚川亜由美です」

と、言ってしまうんじゃないかと……。

しかし、まず第一の難関は突破したのだ！——ま、「難関」ってほどオーバーなもんでもないかもしれないが。

「まあ、可愛い方。ねえ、あなた」

「うん。宏行にしちゃ、上出来だよ」

と、笑顔で肯《うなず》き合っているのは、当然有坂宏行の両親である。

スイスの別荘から帰って来た、というのが、ごく自然に見える、初老の夫婦で、その笑顔は穏やかで、上品だった。

「僕が手紙に書いた通りだろ」

と、有坂は得意そうに言った。「だから、心配しなくたっていい、と言ったんだよ」

「そんなこと言ったって、お前はまだ学生の身なんだから。相手の方だって、不安になるだろうと思って、いつも心配するのよ」

と、有坂の母親が言った。

いつも？——その一言が、亜由美の胸に引っかかった。

もちろん、何気なく使った言葉なのかもしれないが、有坂も、そんなことは気にもとめずに、

「彼女は大丈夫。しっかりした人でね。僕の頼りないところを、きちんと補ってくれているよ」

「とんでもありませんわ」

と、亜由美が、目を少し伏せがちにして、言った。「私の方が、いつも宏行さんに教えられることばかりです。本当に世間知らずなものですから」

亜由美は、自分の即興の才に、びっくりした。——私、役者の素質があるのかもしれないわ。

こんなセリフ、前もって考えておいたわけではない。小川克代の身になって、考えなきゃいけない、と思っていたら、スラスラと出て来たのである。

こりゃ意外な才能の発見だわ。スカウトされたらどうしよう？

余計な心配をしている内に、亜由美は、有坂や両親と一緒に、ダイニングのテーブルに案内されていた。

「お金なら、いくらでもある」

という有坂の言葉は、誇張でも何でもないようだった。

見上げるような塀に囲まれた邸宅は、一体どれくらいの広さがあるのか、見当もつかない。有坂も、

「使ってない部屋が沢山あってね、僕も一度も入ってないって所が、いくつもあるんだ」

と、笑っていたものだ。

こりゃ凄《すご》い！——さすがの亜由美も、すっかり呑まれてしまっていた。

みんな、有坂の家がこんなに大金持だったなんて、知ってるのかしら？

もちろん、米田紀子は一時期、有坂と付合っていたことがあるから、きっとここにも来たことがあるのだろうが……。

「ちょうど料理人が明日まで休みを取っていてね」

と、有坂の父親が言った。「大したものは出せないが、召し上って下さい」

「いえ、どうも……」

度胸のいい亜由美も、小川克代になり切っているせいか、至って控え目で、おとなしいものだ。

しかし、食欲の方は、元通りだったようで、次々に出される料理を、片っ端から食べてしまった。味も良かったのだ。

給仕してくれているのは、かなり年齢《とし》の若そうな——たぶん、十七、八ではないか

と思えた——少女で、きちんと白のエプロンをして、よく外国映画に出て来る「小間使い」ってイメージである。

「——とてもおいしかったですわ」

と、亜由美は、食後のコーヒーになって、言った。

今さら、少々恥ずかしがっても、食欲の旺盛《おうせい》なことは、充分に有坂の両親に印象づけられたらしい。

「いや、健康そうな方で良かった」

と、有坂の父が肯いて、「私たちももう若くありませんからな。宏行が結婚するのなら、早い内。そして孫の顔も早く見たいものだと思っとったのですよ。なあ」

と、妻の方を見る。

「その通りですよ」

と、有坂の母もにこやかに、「克代さんは、きっと元気な赤ちゃんを産んで下さるわ」

「はあ……」

柄にもなく、亜由美は照れて赤くなったりしている。

「母さん。まだそんな話、早いよ」

と、有坂が笑いながら、「ともかく、彼女はまだ大学生だからね。大学をちゃんと出たいと言ってるし……」

「え、ええ。そうなんです」

と、亜由美も適当に話を合わせる。

「それはいいことだわ」

と、有坂の母が肯いて、「女もこれからは知性を身につけておかなくては」

「そうかな。私はあんまり賛成せんが……」

「あなたはもう古いのよ」

「そうかな」

と、有坂の父は照れたように笑って、「ま、自分の生き方は自分で決めるのが一番だ。お前の選んだ女性なら、私に文句はないよ」

「そりゃそうさ。何しろ彼女は最高だからね！」

と、有坂は楽しげに言った。

――至って、夕食はいいムードだった。

亜由美としても、こんなごちそうを食べられて、しかも、バイト料金までもらっちゃ、申し訳ないわね、なんて考えていたのである。しかし……。

色々話が弾むにつれて、亜由美は何だか妙な気分になって来た。

食事の時に少しワインなど入っているので、いくらかは酔っていたのかもしれないが、それだけでもない。

有坂の様子が、いかにも自然過ぎたのである。いや、それだけ有坂の演技が達者だというだけなのかもしれないが、それにしても……。

亜由美は、何だか本当に有坂が、自分のことを愛してるんじゃないかという気がして、少々戸惑ったのである。

いや、もちろん——もちろん、そんなのは、単なる錯覚だ。そうに決ってる。

亜由美はつい、自分へそう言い聞かせていた。

「——では、やすませていただきます」

と、亜由美は立ち上って言った。

「はいはい。どうぞ、ゆっくりおやすみになってね」

と、有坂の母が、にこやかに言った。「主人は、もう、さっさと先に眠ってしまったらしいので、失礼します」

「いえ、そんな——。では、おやすみなさいませ」

亜由美は、頭を下げ、居間を出た。

「部屋へ案内するよ」

と、有坂が立ってやって来た。

「分るわよ。いくら私がボーッとしてても」

「いや、ちゃんとベッドメークしてあるかどうか気になってね。あの手伝いの娘《こ》、まだ雇ったばかりで、よく忘れるのさ」

こうして、幅の広い階段を上って行く。

「――有坂君、どうだった、私の演技?」

階段を上りながら、亜由美が訊《き》くと、

「しっ」

と、有坂が低い声で、「お袋、耳がいいんだ。部屋へ入ってからにしよう」

――二階の一室を、亜由美は使うことになっていた。広い。亜由美の自宅の部屋の倍以上の広さである。

「――ああ、くたびれた」

と、亜由美は、ベッドに腰をかけて、息をついた。

「すまないね、面倒なこと、頼んで」

「そんなことといいのよ」

と、亜由美は急いで言った。

くたびれたと言っても、その半分は、「食べ疲れ」なんだから。

「でも、とても優しいご両親ね」

「そうだろう?——だから、よくならないんだ」

と、有坂が、呟《つぶや》くように言った。

「何が?」

「いや、何でもない。——この部屋は、そこにお風呂もついてるからね」

「ありがとう。お風呂の中で寝ちゃいそうだわ」

と、亜由美は笑って言った。

「——これで、本当に彼女が戻って来てくれればね」

と、有坂が、ゆっくりと部屋の中を歩き回りながら言った。

「ねえ、有坂君。克代さんに、妹がいた、って、知ってた?」

「妹?」

「そう。幸代って人」

「小川——幸代? いや、初耳だ。本当のこと?」

「らしいのよ」

亜由美は、肯いて、「母が会ったっていうの。克代さんと双子の姉妹だって」

「双子? じゃ、よく似てるの」

「そっくりらしいわ」

「信じられないな……」

と、有坂は首をかしげた。「そんなこと、彼女は一言も言ってなかった」

「そう」

と、亜由美は言った。

殿永から、今日の昼ごろ電話が入って、小川克代は、本当に妹がいることが分ったと言って来たのである。

双子ではあるが、果して、本当にそんなに似ているかどうかは分らない。

「だけど――」

有坂は、ちょっと息をついて、「塚川君って、そういう格好してると、可愛《かわい》いね」

「そ、そうかしら」

「いつも、何となく男っぽくて、サバサバしてるだろ？　でも、そうしてると別人みたいだ」

いつもはどう見えているのか、もっと深く突っ込んで訊いてみようかと思ったが、やめておくことにした。がっくり来ることになりかねない。

「でも、有坂君」

亜由美は、真面目な口調になって、「ご両親にどう説明するの？　結婚する時は別の女性なんて」

「そこまで考えてないよ」

と、有坂は言った。「もし……そうだね、もし、克代が戻って来なかったら……」

有坂が、亜由美を見つめる。——ただ見ているという目ではなかった。

二人は、しばらく黙って見つめ合っていた。まるでメロドラマの中のように。

すると——。

「失礼します」

と、ドアが開いて、給仕をしてくれた娘が入って来た。「ベッドを作らせていただきたいんですが」

「ええ、お願い」

と、亜由美はベッドから立って言った。

「——じゃ、僕はこれで」

有坂が、廊下へ出て行きながら、「おやすみ」

「おやすみなさい」

亜由美は、何となく胸がときめく。

有坂がドアを閉める。

亜由美は、手伝いの娘が、慣れた手つきでベッドメークをするのを、何気なく眺めていた。

「——どうも失礼いたしました」

と、「小間使い」スタイルの娘は言った。

「ご苦労様」

その娘は、一旦《いったん》出て行こうとして、ドアを開けながら言った。

「今夜はここの鍵《かぎ》をおかけになった方がよろしいと存じます」

「え？」

亜由美は戸惑った。だが、訊き返す間もなく、その少女は、ドアを閉めて行ってしまった。

「――何かしら？」

今夜は鍵をかけておいた方が……。あれはどういう意味だろう？

亜由美は、ドアの方へ歩み寄ってみた。中から鍵がかかるようにはなっている。しかし、客として招かれて、鍵をかけて寝るなんていうのも……。何だか、信用してないみたいで、失礼じゃないだろうか。

あの手伝いの娘、どういうつもりで、あんなことを言ったのかしら？

――深く考えるほどのことでもないのかもしれない。ただ何となく付け加えただけなのかも……。

「いいわ」

亜由美は肩をすくめて、鍵をかけないまま、バスルームの方へと歩いて行った。そして——またクルッと向きを変え、ドアまで戻ると、鍵をかけたのである。

緊張がとけてホッとして、しかもお腹が一杯。かつ、お風呂にも入って、ゆっくり寛《くつろ》いだ、となれば、眠くならない方がどうかしている。

大きなベッドに入った亜由美は、その寝心地を楽しむ間もなく、眠りに引き込まれてしまった……。

——そして、ふと目を覚ましたのは、何時ごろだったろう？

ガタガタ、という音で、目が覚めたらしい。ベッドに起き上って、しばらくは何の音なのかよく分らなかった。

ナイトテーブルの明りは点《つ》いていたので、少しすると、部屋の中の様子がはっきり分って来る。——音は、ドアの方から聞こえて来た。

誰かが、ドアを開けようとしている！

ガタッ、ガタッ、とドアを引いたり押したりしているのだ。

誰だろう？　こんな時間に、しかも、ドアをノックするでもなく、開けようとしている。

亜由美は、ベッドから出ると、足音をたてないようにして、ドアの方へ近付いて行った。

その誰かは、苛立《いらだ》っているように、ドアを強く揺さぶっている。——奇妙だった。もし、有坂が亜由美を「訪問」しようというのだったら、こんな風にドアを揺すったりしないで、目を覚ますまで、小さくドアを叩くだろう。

といって——有坂でなければ、誰がドアを開けようとしているのだろうか？

もしかして泥棒、とも思ったが、泥棒が、こんな風に、眠っている人間を起してしまうほどやかましい音をたてるかどうか。

亜由美は、息を殺して、そっとドアに耳を押し当てた。亜由美の体重がドアにかかって、ドアが少し押された格好になった。

相手がそれを感じたらしい。パッとドアから手を離した気配があった。

続いて、タタタ、と遠去かる足音。

亜由美は、廊下へ出て、一体誰だったのか、確かめようかと思った。しかし、もし、相手が、凶悪な泥棒か何かで、刃物でも持っていたら、と思うと……。

結局、ためらっている内に、足音は消えて、それきり静かになる。

亜由美は、鍵がかかっているのを、ついもう一度確かめていた。

ベッドに戻ったものの、今度はなかなか寝つかれない。すっかり、目が冴《さ》えてしまっているのだ。

ほんのちょっとした風の音や、水の流れる音でもギクリとする。

——あの、ドアを激しく揺すっていた「誰か」に、亜由美は直感的に危険なものを感じていた。

「せめて、ドン・ファンでもいてくれたらなあ」

と、亜由美は呟いた。「——頼りなくても、いないよりはまし、なのに」

そのころ、塚川家では、ドン・ファンが、「クシュン！」

と、クシャミをしていたのだった……。

7 囲まれた亜由美

「ほう」

と、殿永が感じ入った様子で肯《うなず》いて、「塚川さんがそんなに怖い思いをしたとはね」

「私も、殺人犯と出くわしたり、色々怖い目にはあって来ました」

と、亜由美は言った。「でも、相手が何だか分らない、っていうのは、全然違う種類の怖さですね」

「分りますよ」

殿永はしみじみと言った。「いや、あなたがそんなに怖がるとは、実に珍しい。いや、全く、滅多にないことです」

「あのね」

亜由美は多少、カチンと来て、「それじゃまるで、私が怖いもの知らずの豪傑みたいじゃありませんか」

と、抗議した。

「いや、そういう意味では――」

「じゃ、どういう意味です?」

「うむ」

と、殿永はしばらく考えていたが、「ま、勇気がある、ってのは、決して悪いことじゃありませんからね」

「話をそらさないで下さい」

言いながら、亜由美もつい笑っている。

――大学の正門からすぐ近くの喫茶店である。

亜由美は、聡子と待ち合わせるついでに、殿永へ電話して、ここへ来てもらい、ゆうべの一件を話したのである。

「すみませんね」

と、亜由美は言った。「話って、それだけなんです。殿永さんに来ていただいても、別にお願いすることってないんですよね」

いつになく遠慮がちなのは、ゆうべ小川克代の代役をつとめて、その気分が多少残っているせいかもしれない。

「いや、そんなことは一向に構わないんです」

と、殿永はアイスクリームを食べながら、言った。「あなたが、危いことに首を突っ込んでも、結構無事に、いつも切り抜けられるのは、あなたが何でも私や、神田さんに話しておられるからかもしれませんよ」

「何だか、私、凄《すご》く口が軽いみたいですね」

「いや、そうじゃありません。危険というのは、他人に分ることで、減らすことができるものなんです」

「というと？」

「つまり、あなた一人が、何か秘密を抱いて、他の人間には洩《も》らさずにいると、その秘密を守るために、誰かがあなたを殺すこともあるわけです。しかし、あなたが、その秘密を、私と神田さんに話していたとすると、犯人は、三人もの人間を殺さなくてはならなくなる」

「分ります」

と、亜由美は肯いた。「だから、私を殺すことも思い止《とど》まる、というわけですね」

「その通り」

殿永は微笑《ほほえ》んだ。「――ところで、大学の方へは出なくていいんですか?」

「殿永さん」

と、亜由美はにらんで、「私が停学中なのを、ご存知のくせに」

「あ、そうでしたね。忘れていた」

「あの河村って刑事さんはどうしたんです? 見かけませんけど」

「さて、どうですかね。結構しつこい男だからな、あれも」

「こんな善良な人間に、疑いをかけるなんて!」

「それはともかく――。ゆうべのことを、その有坂君は何と言っていました?」

「何も」

と、亜由美は首を振った。「私も話さなかったんです。今朝、朝食の席で、家族の様子を見ていましたけど、前の晩と少しも変ったところもなくて」

「なるほど。しかし、妙な話ですな」

「夢じゃなかったんです。本当のことなんですよ」

「分ってますとも。あなたは夢見がちな人だが、現実と夢をごっちゃにするタイプじゃありません」

「殿永さんにそう言っていただくと、ホッとします」

「そうそう、小川克代の妹のことですが」

「何か分りまして?」

「いや、今のところはまだ。——双子といっても、そっくりということは、そうそうないものです。今、急いで調べさせていますから」

殿永がそう言っているところへ、

「オス、不良少女!」

と、聡子がやって来た。

「何よ、不良とは」

「停学十日間なんて、普通は不良」

「迫害されるのよ、善人は」

「じゃ、私はこれで」

と、殿永が、伝票をつかんで、「神田さんのご注文も、つけておきますよ」

「わぁ、すみません」

と、聡子が、手を打って、「じゃ、私、一杯頼んじゃおうかな」

これは冗談。——さて、聡子は学校での連絡事項を、亜由美に伝えてから、

「ね、そういえばさ、そこで、米田さんに会ったの」

「米田紀子?」

「うん。これ、亜由美に渡してくれ、って」

封をした手紙。

「——何だろ?」

封を切ると、亜由美は中の手紙を取り出して広げた。文面は簡単で、

〈今日、午後五時に体育館で。お話があります。米田〉

と、あった。

「おとといのことかしら」

と、聡子が覗《のぞ》き込んで言った。

「そうかもね。——行ってみるわ。停学中でも、講義に出るわけじゃないんだしね」

「私、今日は用があるんだ」

「いいわよ。一人で大丈夫。別に決闘しようってわけじゃないでしょ」

と言って、亜由美は笑った。

「決闘したって、亜由美なら負けない」

「言ったな!」

と、亜由美は言って——ふと、目が店の表に向いた。

「どうしたの?」

と、聡子が訊《き》く。

「小川——」

「え？」

「小川克代さんだわ！」

亜由美は、飛び上るように言って、店から駆け出そうとした。

「亜由美！」

聡子も、後を追った。

しかし——今の喫茶店というのは、大体が自動扉というものになっていて、これは手動扉（？）に比べると、荷物など持っている時には楽であるが、急ぐ時には、あまりありがたくない代物なのである。

手でパッと開けるほどには、自動扉は素早く開いてくれないからだ。

亜由美も、気が焦《あせ》って、ほとんど扉を突き破らんばかりに走って来た。当然、扉の方は開くのが間に合わず——といっても、扉の責任ではないが——亜由美はガン、と額をガラス扉にぶつけてしまった。

「いたた……」

と、足を止める。

そこへ、聡子があわてて追って来て、目の前に亜由美が立ち止っているのに気付いたが、聡子ももともと、運動神経、反射神経のいい方じゃない。足が止らず、ドン、と亜由美に追突。

その時には、いくら鈍い自動扉も既に開いていたので、

「キャッ！」

「ワッ！」

と、どっちがどっちの声なのか、二人折り重なって、店から転《ころ》がり出たのだった……。

「全く、もう……」

亜由美はブツクサ言いながら、大学の構内を歩いていた。

ま、亜由美が文句を言える筋合のものではないのだが、といって、おでこのすり傷は痛いし、何か言わずにゃいられないのである。

しかし——あの時、店の外を歩いて行ったのは、本当に小川克代だったのだろうか？

良く似てはいたけれど……。

女子大生なんて、着る物もヘアスタイルも、よく似た人というのはいくらもいるが、確かに、チラッと見た限りでは、ハッとするほどよく似ていたのは確かである。

聡子と「追突事故」を起してしまったので、結局追いかけられなかったのだが。

もし、あれが本当に小川克代だったとしたら——いや、それとも妹の幸代の方なのか。

「惜しかったなあ」

と、亜由美は呟《つぶや》いた。

逃がした魚は大きく見える、ってやつである。

ところで——亜由美は、米田紀子の手紙にあった通り、五時になろうという時間なので、大学の体育館へと向っていた。

五時ともなると、もう、運動部の学生たちも帰っていて、大学の中は静かなものだ。

体育館の重い扉を、やっこらしょ、と開けて中へ入る。

広々とした体育館は、薄暗かった。

「——米田さん?」

と、呼ぶと、声が中に反響する。

「扉を閉めて」

と、声がした。

亜由美は、両手で扉を押して閉めると、

「どこ?」

と、中を見渡す。

「こっちよ」

大分、離れている感じだ。

高い窓から、少し光が洩《も》れて来ているが、中の様子は、ほとんど分らない。

声のした辺りへと、ゆっくり歩いて行きながら、

「――米田さん。どこ？」

と、声をかける。

大分、奥の方まで進んで行った時、急に明りが一杯に点《つ》いた。亜由美がギョッとして立ちすくんだ。

米田紀子が、正面に立って、亜由美を見ていた。

「ああびっくりした」

と、亜由美は息をついて、「何のご用ですか」

「分ってるはずだわ」

と、米田紀子は言った。

「そっちが呼んだんですよ」

「ゆうべは、有坂君の家に泊ったのね」

亜由美はびっくりして、

「どうしてそのことを――」

背後に足音がした。

そう。明りを点けた人間がいるはずだ。

振り向くと、久野友香と宮入尚子が立っていた。

「友香。――宮入さんも。何なのよ、一体、これは？」

「言っとくわ」

と、米田紀子はゆっくりと亜由美の方へ進んで来た。「私たちは、有坂君に近付く女の子は、遠去けることにしているの」

「近付く、って……」

亜由美は笑って、「誤解しないで。私、別に――」

「ゆうべは、彼と寝たの？」

「――まさか！」

亜由美はムッとして言った。「あの人は紳士よ」

「怪しいもんだわ」

と、宮入尚子が言った。「調べてみましょうよ」

「何よ、一体？」

亜由美は、段々腹が立って来た。

「むだよ」

と、米田紀子は肩をすくめて、「どうせ、男の二人や三人、知らないわけはないんだから」

「大きなお世話でしょ」

「有坂君の家に二人でいた、泊って来たとなれば、誰が考えたって、何かあった、ってことよ」

「二人きりじゃないわ」

と、亜由美が言った。「ご両親もいらしたんだから」

「何ですって?」

米田紀子が、訊き返した。

どう見ても、本当にびっくりしている。

亜由美は戸惑った。

「本当よ。——サン・モリッツから帰ったからって……。有坂君が、私のことを小川克代さんに仕立てて紹介したのよ。それがどうかしたの?」

米田紀子は、顔をこわばらせて、

「それじゃ、ますます何もなかったはず、ないわね」

「どういう意味?」

「隠さないで。——ゆうべ何があったか、言うのよ」

亜由美としては、何もなかったと言い張るしかないのだが、そこが負けず嫌いの性格。米田紀子の高圧的な態度にカチンと来てしまった。

「何で、あなたに話す必要があるの？」

と、言い返して、「そっちが話があるって呼んどいて。何もないのなら、失礼するわ」

クルッと出口の方へ——向いたとたんに、ワッと三人が一斉に亜由美に飛びかかって来た。

「何すんのよ！」

暴れてやるにも、全く予期していない攻撃で、一気に床へ押し倒され、うつ伏せに手足を押えつけられては、どうにもならない。

おまけに、倒れた拍子に、おでこをまたぶつけて、痛いこと……。

「——こら！　離せ！　友香！　あんたまで、どうしてこんなこと、すんのよ！」

「ごめんね」

と、友香が言った。「だけど、これは仕方ないの」

「仕方ないの……じゃないでしょ！　いたた……」

右腕を背中へねじ上げられて、亜由美は悲鳴を上げた。

「正直に話して」

と、米田紀子が言った。「腕が折れてもいいの？」

「そんな……そんなことしたら、警察を——」

「あんたが勝手に転んで折ったたって、言ってやるわ」

「そんなこと――」

「三人で揃《そろ》って証言すれば、あんたの話なんか、誰も信じてくれないわよ」

米田紀子は、ぐっと力を入れて、亜由美の腕をさらにねじ上げた。

「痛い！　やめて……」

亜由美も、どうすることもできない。

ああ、どうして私みたいな善人が、こんな目にあうの？

神も仏もないのか！　いつも信じてないけど、こんな時は出て来てくれたっていいじゃないか！

かなり勝手なことを言っている。

ドン・ファン！　殿永さん！　聡子！

誰も助けに来ないなんて！　ひどい奴《やつ》ばっかり！　覚えてろ！

「さあ、話して。ゆうべ、何かあったの？」

「何も……ないわよ」

「まだ隠すのね」

「嘘《うそ》じゃないってば！」

「そのつもりなら、こっちも――」

米田紀子は、大きく息をついて、「覚悟するのね」

と、言った。

さらに、腕をねじ上げられて、亜由美は頭の天辺まで貫くような痛みに悲鳴を上げた。

その時――。

「やめなさい！」

と、女の声がした。

三人がハッと声の方を振り向くと、鉄棒の滑り止めの白い粉が、三人に向って、大量に飛んで来たのだ。

「アッ！」

「目が――」

粉が目に入って、三人がよろける。

亜由美は、這《は》いつくばった状態から、やっと起き上った。

「こっちへ！」

誰かが、亜由美の手をつかむと、「走るのよ！」

と、叫んだ。

もう、亜由美も夢中だった。――体育館を飛び出し、どこをどう走ったものか……。

気が付くと、大学の裏門から外へ出ていた。

「——もう大丈夫」

と、その娘はハアハア息を切らしながら、言った。

「助かったわ！」

亜由美も、汗びっしょりで、足がガクガク震《ふる》えている。「ありがとう！」

「いいえ」

はて？——この人、誰だっけ？

亜由美は、その娘をまじまじと見ていたが……。

「ああ！」

と、思わず声を上げる。「有坂君の所にいた……」

あの手伝いの娘だ。

亜由美に、「鍵《かぎ》をかけろ」と言った娘である。

「あなた……。でも、どうして私を助けてくれたの？」

「だって……。黙って見てられないんですもの」

と、娘は言った。「お姉さんのお友だちだし」

「姉さん？」

「私、小川幸代です」

と、娘は言った。

「ええ?」

亜由美は、仰天した。「だって――小川克代さんとは双子だって……」

「ええ、双子です」

「でも、全然似てないじゃない」

「二卵性の双子ですから。それに私、幼く見えるし」

確かに、そう言われて見ると、どことなく小川克代を思わせるところはあるが……。

「じゃ、克代さんも生きてるんだ！　良かった」

「姉も生きてます」

と、幸代は肯《うなず》いて、「でも、どこにいるか分らないんです。心配ですわ」

「ああ、びっくりした。――痛い」

まだ、ねじられた右腕が痛む。

「大丈夫ですか?　お医者へ行った方がいいんじゃ……」

「平気よ。でも――ともかくありがとう。あなたがいなかったら……」

「いいえ、そんなこと」

と、幸代は言って、「でも、ずいぶんひどい格好になっちゃって」

「私?」

「ええ。白い粉が、塚川さんにもかかったから」

「あ、そうか」

頭をパッパと払うと、白い煙が立った。

「それじゃ浦島太郎だ。――ね、幸代さん。良かったら、話を――」

と、言いかけた時、裏門から、誰かが駆け出して来た。

「亜由美！」

久野友香だ。粉だらけになっているが、たぶん自分もああなんだろう、と亜由美は思った。

「何よ、友香、一対一なら負けないからね！」

と、身構えると、

「そうじゃないの！――ごめんなさい。だって、ああしないと米田さんが……」

「許さない！」

「ね、待って。それどころじゃないの」

「それどころ、とは何よ！」

「米田さんが殺されたの」

「大体、あんな卑怯《ひきょう》なことをしようとして――。何て言った？」

「殺されたの。やっと目が見えるようになって、気が付いたら……。米田さんが、体育館の床で、首を絞められて――」

「殺された？」

亜由美は、唖然《あぜん》とした。――そして、幸代の方を向いて、

「ねえ――」

と、言いかけたが……。

もう幸代の姿も、そこにはなかったのである。

8　燃える秘密

「過剰防衛だな」

と、ニヤニヤしながら言ったのは、例の河村刑事である。「いや、あの暴力的傾向から見て、無理もない」

「私じゃない、って言ってるでしょ！」

亜由美はかみつきそうにしている。

「亜由美、落ちついて」

と、聡子が必死でなだめていた。「今度は退学よ」

「構うもんか、って」

亜由美は、頭をワッとかきむしった。まだ白い粉が飛ぶ。

「――やれやれ」

殿永が、首を振りながらやって来た。

「手がかりは?」

「今のところは……。しかし、あなたも危い目にあいましたね」

「危うく、腕を折られるところでした」

「宮入尚子は否定している」

と、河村が言った。「ただ、穏やかに話し合っていた、とね」

「当り前でしょ、そんなの。それを信じるのが馬鹿《ばか》だわ」

「何だと!」

「何よ! またけとばされたいの?」

「ま、落ちついて」

と、殿永が割って入った。「ここは塚川さんの言う通りだ。あの久野友香は、暴行したことを認めている」

「当然よ」

「フン」

と、河村は亜由美をにらんで、「今に手錠をかけてやるからな」

「やれるもんなら――」

「亜由美！」

聡子が押える。――河村が行ってしまうと、殿永が、

「いや、すみませんね。刑事ってものは、なかなか先入観が抜けないところがあるんですよ」

と、言った。「――塚川さん」

亜由美が涙ぐんでいるのを見て、びっくりしたのだ。

「亜由美」

と、聡子は言った。「悔しいのは分るけど――」

「そうじゃないのよ」

「じゃあ……」

「米田さんが死んだから。――先輩でしょ、私たちの。少しは知ってたしね」

亜由美は、グスン、とすすり上げて、「いやなもんね、知ってる人が死ぬって」

殿永は、亜由美の肩を、軽くつかんで、何も言わなかった……。

「――しかし、小川幸代がなぜ、有坂家で働いているのかな」

殿永は、体育館を出て、言った。

「そうですね。もっと詳しい話を聞きたかったわ」

「どうも、これは一筋縄で行く事件じゃないらしい。——どうです、気分は直りましたか？」

「ええ。もともと元気ですもの」

亜由美は微笑《ほほえ》んで言った。

「よし！　じゃ、今夜は一つ、徹夜で事件の解明に当りましょうか」

「賛成！」

と、亜由美は言った。「でも、その前に——」

「お腹空いたんだ」

と、聡子が言った。

「違うわよ！　一度、お風呂へ入りたいの。粉かぶったままよ」

「そうか。でも、なかなかいいよ。老けてるのも」

「人のことだと思って！」

と、亜由美はにらんで、「それから、何か食べる！」

「やっぱり食べるんじゃないの」

「腹が減ってては——探偵ができぬ」

と、亜由美は言った。

亜由美は、家へ行くと、連れて行った殿永と聡子を待たせておいて、手早く一風呂浴びた。

それから、仕度をして、居間を覗《のぞ》き、

「お待たせ……。何してんの?」

母の清美が、殿永とトランプをやっていたのだ。

「いや、強い!」

と、殿永は首を振って、「ポーカーで、もう十万円も負けてるんですよ」

「お母さん、何やってんのよ!」

「せっかくツイてるんだから、もう少し待ってよ」

「だめ!」

「じゃ、殿永さん、この続きはまた」

「この次は負けを取り返しますよ」

「どうぞどうぞ」

と、清美は得意げである。

聡子は、ソファで居眠りをしていた。

「ドン・ファン、なめてあげな」

と、亜由美がけしかけると、ドン・ファンは喜び勇んで(?)聡子の膝《ひざ》にのっかり、ペロペロとなめ始めた……。

「――人を馬鹿にして！」

殿永と、車で近くのレストランへ行き、食事をしている間中、聡子は怒っていた。

「いいじゃないの。いい夢見てたんでしょ」

「目をあけたら、ドン・ファンじゃないの。がっかりしちゃった」

「ハハ、誰だと思ったの？」

「知らない」

聡子はプイと横を向いた。

「――いくつか、面白いことが分りましたよ」

と、殿永が言った。「小川克代と幸代は、確かに双子ですが、そう似てはいなかったそうです。ですから、その幸代というのは、きっと本物でしょう」

「克代さんがどこにいるか分らない、と心配していましたわ」

「米田紀子たち四人が、何を計画していたのか、久野友香や宮入尚子は、どうも、あまり詳しいことを聞かされていなかったようです。――しかし、一つ確かなのは、小川克代が、一度、有坂の家に泊ったことがある、という点です」

「まさか！」

と、思わず亜由美は言った。「でも――そうか。じゃ、きっとご両親がいなかったんだわ」

「有坂宏行の両親についても、ちょっと、ニュースがあるんですよ」

「というと?」

「確かに、金持には違いないのですがね。まあ貧乏人のひがみかもしれないが、金持というのは、変り者が多いものでしてね」

「でも——ずっとスイスの別荘にいたとか……」

「確かに、別荘はありましたよ。しかし、もう三年前に手放してしまっているんですよ」

「じゃあ……」

「ともかく、鍵《かぎ》は、有坂家にあります」

と、殿永は言った。「それに小川幸代とも話をしたい。米田紀子が殺されて、のんびりしてはいられなくなりました」

「じゃ、これから?」

「行ってみましょう」

と、殿永は肯《うなず》いた。「時間は遅いが、そんなことは言っていられません」

「分りました」

亜由美は立ち上って、「聡子、行く?」

「うん」

「危いかもしれないよ」

「亜由美と付合ってる限りは、しょうがないよ」

「何よ、その言い方」

「ワン」

ドン・ファンがタイミングよく鳴いたので、亜由美たちは吹き出してしまった。


「――塚川君」

ドアを開けたのは、有坂当人だった。

「ごめんなさい、こんな時間に」

と、亜由美は言った。「大切なお話があって」

「いいとも。入って」

亜由美たちは居間へ通された。

「――僕一人なんだ。すまないけど、お茶も出せなくて」

「そんなこと、いいの」

と、亜由美は言った。「でも――お手伝いの人、いたじゃない」

「うん。何だか、急にやめちゃってね」

「やめた？」

「今の若い人は、分らないって、お袋が怒ってたよ」

と、有坂が苦笑した。「それで、話っていうのは？」

「ご両親にお目にかかりたいの」

「親父《おやじ》たち？」

有坂は面食らった様子で、「悪いけど——またスイスへ行っちゃったんだ」

「別荘へ？」

「うん。何しろ向うの暮しに、すっかり慣れててね。日本にいると疲れちゃうんだって」

「そう」

妙な気持だった。有坂の、やさしそうな笑顔には少しの変りもないのだが、その話がでたらめと分って聞いていると、全く受ける印象が違ってしまう……。

「でも、二人とも、君のことがすっかり気に入ってね」

と、有坂は言った。「あの人なら安心だって」

「そう」

「克代がどこへ行ったのか分らないけど……。僕は、もう諦《あきら》めた方がいいかもしれないと思ってる。君がもし——」

「え？」

「君がもし良かったら……。本当に、君のことを、両親にフィアンセとして紹介しても――」

「待ってよ、有坂君」

と、亜由美は言った。「今はそれどころじゃないわ。米田さんが殺されたのよ」

「米田……紀子？」

有坂は目をみはって、「本当に？」

「本当です」

と、殿永が肯いて、「その事で、ここへやって来たのですがね」

「そうですか……。いや、確かに、彼女も一度、ここに来たことがあります」

「泊ったの、あの部屋に？」

「うん。両親にも会わせてね。でも、彼女、翌朝、僕が起きるより前に帰っちゃったんだよ」

「どうして？」

「さっぱり分らない」

「そうですか？」

と、殿永が訊《き》く。「分っていらっしゃるんじゃありませんかね」

「どういうことです?」

「つまり――」

　と、殿永が言いかけた時、ドン・ファンが急に、激しく吠《ほ》え立てた。

「どうしたの?」

　亜由美が居間のドアを開けてやると、ドン・ファンは短い足で颯爽《さっそう》と(?)飛び出して行った。

　そして、階段を、二階へ駆け上って行く。

「だめだ!」

　有坂が、いきなり後を追って走り出した。

「二階へ上るな!」

　亜由美がパッと足を出して、引っかけると、有坂はものの見事に引っくり返った。

「ドン・ファン、行って!」

　亜由美も、階段を駆け上った。

　と、二階から――。

「助けて!」

　と、女の声。

「幸代さんだわ!」

階段を上り切ったところへ、有坂の母親が、やって来た。

「まあ、何です、この騒ぎは！」

「幸代さんはどこです！」

「何のお話？」

「どいて！　ドン・ファン、行くのよ！」

殿永が、下で有坂を押えつけながら、

「気を付けて！」

と、叫んだ。

有坂の母が、突然、裾《すそ》を翻して、駆けて行く。

ドン・ファンが、ドアの一つの前で止って、

「ワン！」

と吠えた。

亜由美は駆けて行って、ドアを開けた。

「――幸代さん！」

ベッドに縛りつけられた幸代の首に紐《ひも》が巻きつけられ、今、それを引き絞ろうとしているのは、有坂の父だった。

「ドン・ファン！」

ドン・ファンが、猛然と駆けて行くと、有坂の父の足にかみついた。

「ワッ！　離せ！　こいつ！」

亜由美は、駆けて行って、拳《こぶし》を固めると、

「ヤッ！」

かけ声と共に、パンチを食らわしてやった。

有坂の父が、そのまま床の上に大の字になってのびてしまう。

「幸代さん！」

亜由美が、急いで首の紐を外すと、幸代は何度か咳込《せきこ》んだ。

手足の縄をといてやると、幸代はやっと起き上って、

「――ありがとう！」

と、言った。

「お互い様。ひどい目にあったわね」

「大丈夫ですか？」

殿永が入って来る。

「有坂君は？」

「下に、手錠でつないであります」

「――この人たち、まともじゃないんだわ」

と、幸代が首を振って、「息子の連れて来た女の子を、ここへ泊らせると、この父親が夜中に忍び込んで、必ず……」

「じゃ、あの時、ドアを揺すってたのも？」

「――精神病院を出たり入ったりしているんですよ」

と、殿永は言った。「病院を脱走したというので、大分前から捜していたらしいですよ」

「まあ……」

「姉も、この人に」

と、幸代は、有坂の父を見下ろして、「そのショックで、姿を消してしまったんです」

「じゃ、あなたはそれを調べるために、ここへ？」

「ええ。――でも、気付かれて。危いところでした」

「亜由美」

と、聡子が、ドアの所で、呼んだ。

「どうしたの？」

「お客様よ」

聡子が、わきへどくと、小川克代が立っていた。

「お姉さん！」

「幸代。ごめんね」

克代は、入って来ると、妹の肩を抱いて言った。「あんたがこんな危いことしてるなんて知らなかったから……」

「お姉さん、まさか――あの女の人を殺さないよね」

「米田さん？　まさか！」

と、克代は首を振った。

「米田さんたちは、何をしようとしていたの？」

と、亜由美は訊いた。

「米田さんも、この人に乱暴されたんです。ここに泊って」

と、克代は言った。「でも、有坂君のことは諦め切れなかった。だから、私が有坂君に誘われて、どうしたらいいか迷っている時、ぜひご両親に会わなきゃ、とすすめたんです。私、泊るのはどうかと思ったんですけど、米田さんは、それぐらい、別にどうってことない、と」

「父親が、夜中にやって来ることを、分ってて、あなたをここへ泊らせたのね」

「――有坂君に、泣いて訴えました。でも、彼もそれぐらいのことは我慢してくれ、と……」

「それぐらい、ってことないじゃない!」

と、聡子が憤然として言った。

「それで目が覚めたんです。――有坂君と会うのも辛いので、旅へ出て……。この幸代にだけは、事情を話したんですけど」

「泣き寝入りなんて許せないもの!」

と、幸代が言った。

「同感」

と、亜由美が肯《うなず》いて、「でも――なぜ、米田さんたち、あんな風に集まったりしてたんでしょう?」

「それは、おそらく、有坂の両親が捕まるのを期待してたんだと思いますね」

と、殿永は言った。「つまり、有坂は好きだが、両親は何とかしなきゃいけない。小川さんが、乱暴されて、訴えれば、両親は捕まるでしょう。有坂としても、親を訴えた女性と結婚する気にはならないだろうし」

「そのために克代さんを、ここへ黙って来させたのね。ひどい人たち!」

「じゃ、栗田直子と米田さんを殺したのは誰なんです? それに佐々木孝子さんを車で狙《ねら》ったのは」

「佐々木孝子を車ではねようとしたのは、米田紀子ですよ」

「ええ？　でもあの時、タクシーで――」

「すぐ、米田紀子は、忘れ物をしたと言って降りたのです。宮入尚子がそう話してくれました。四人で、有坂に近付く女の子を、わざと父親の犠牲にして、遠去ける。同時に、その四人も有坂をめぐって、ライバル同士だったわけですから」

「栗田直子も？」

「そう。そもそもは五人だったのです」

「――何てひどいこと」

亜由美は、首を振って、「じゃ、米田さんを殺したのは……」

「この父親でしょうね」

と、殿永は言った。「警察へ訴え出られて、病院へ逆戻りじゃ困る、と後から心配になったんでしょう」

「じゃ、栗田直子も――」

「この父親の犠牲者の一人でしょうね」

亜由美は、大きく息をつくと、

「有坂の奴《やつ》、ぶん殴ってやりたいわ」

と言った。「親のことを知っていて、女の子たちを……」

「ともかく、この父親を運び出しましょう」

「手伝います」

亜由美たちが、有坂の父親を、手足を持って運び出そうと廊下へ出ると――。

「――火事だ！」

と、殿永が言った。

「ワン！」

「ドン・ファン！　お前、何をぼんやりしてたのよ！」

廊下の奥から、火が広がって来ている。

「――早く下へ！」

廊下を下りかけて、亜由美がハッとした。有坂の母親がいない！

きっと火をつけたんだわ。――亜由美は、階段をまた駆け上った。

ドン・ファンが、ついて上って来る。

「亜由美！」

と、聡子が叫んだ。「危いよ！」

燃える廊下の奥に、有坂の母が立っていた。

「早く来て！」

と、亜由美が呼んでも、全く耳に入らない様子だ。

そして――有坂の母は、炎に包まれつつある部屋へと姿を消してしまった……。

「——行こう、ドン・ファン」

「ワン」

亜由美は、ドン・ファンと共に階段を駆け下りて行った。

エピローグ

「悪い夢ね」

と、亜由美が言った。「そう思って、忘れなきゃ」

「ええ」

小川克代が微笑む。「有坂君も、可哀《かわい》そうな人だわ」

「私は同情しない」

と、幸代の方は怒っている。

どうも、亜由美と多少似たタイプらしい。

「あの——どうも」

と、久野友香がやって来た。

ここは、友香の兄のレストランだ。

「お招きいただいたんで、やって来たわよ」

「どうぞ……ごゆっくり」

友香は、そう言ってから、「本当にごめんなさい」

と、深々と頭を下げた。

「もういいわよ」

と、克代が、友香の手を取って、「私たちは、まだ色々考えることが沢山あるわ」

「そうね」

と、聡子は肯《うなず》いて言った。「男ばかりが人生じゃない」

テーブルは和やかな笑いに包まれた。

殿永、亜由美、聡子と、小川克代、幸代の姉妹。そして――ドン・ファン。

「今日は全部タダですから」

と、友香が言った。「どんどん食べて下さいね!」

「でも、それじゃ――」

「いいの。兄もそう言ってますから」

「じゃ、遠慮なく」

と、亜由美はメニューを広げた。

すると、ドン・ファンが亜由美の膝《ひざ》の上へ上って、メニューを覗《のぞ》き込んだ。

「こら! 何してんのよ」

「ワン」

「——いやだ」

と、亜由美は言った。「ドン・ファンったら、一番高い料理を前肢《まえあし》で指してるわ」

「ワン！」

ドン・ファンは、「悪いかい？」とでも訊《き》くように、亜由美の顔を見て、ペロリとほっぺたをなめた。

みんなが大笑いしている、そのレストランの外では……。

「今に必ず捕まえてやるぞ……」

と呟《つぶや》きながら、あの河村刑事が、侘《わび》しくホットドッグをかじっていたのだった。

この作品は、
一九八八年十二月に実業之日本社よりジョイ・ノベルスとして、
一九九二年五月に角川文庫として刊行されたものです。

実業之日本社文庫　最新刊

赤川次郎
七番目の花嫁
ウェディングドレスの発表会場で毒殺事件が発生した。モデルとして会場にいた女子大生探偵・亜由美は、捜査に乗り出す。殺されたのは、思わぬ人物で……。
あ1 26

荒崎一海
残月無情　闇を斬る　四
「闇」の刺客と戦う剣士鷹森真九郎は偶然深川一の芸者染吉と再会する。数日後、押し込み強盗の犯人らしき影を彼女が目撃し……。大好評長編時代小説第四弾！
あ28 4

伊東潤
オフリミッツ　横浜外事警察
東京五輪を翌年に控えた横浜港で女性の全裸死体が発見された。神奈川県警外事課刑事と米軍基地犯罪捜査官が挑む連続殺人事件の真相は!?（解説・西上心太）
い14 2

遠藤遼
千年を超えて君を待つ
『源氏物語』を愛する女子大生・弥生の「推し」は、紫式部。ある日目覚めると弥生はなぜか平安時代へ!! 憧れの「推し」の親友として、ある大役を担う事に!?
え3 1

沖田円
怪異相談処　がらくた堂奇譚　2
人心を惑わす怪異の謎に挑む、がらくた堂の杠葉と遊馬。ふたりを待つ新たな異世界とは!?　そして彼らの異能は誰かを救えるか!?　沖田円のキャラ文第2弾!!
お11 3

梶よう子
商い同心　千客万来事件帖　新装版
正しい値で売らないと悪行になっちまう――物の値段を見張り、店に指導する役回りの〈商い同心〉。値段の裏にある謎と悪事の真相に迫る！（解説・細谷正充）
か7 2

実業之日本社文庫　最新刊

倉阪鬼一郎
おもいで料理きく屋　大川あかり
おきくと幸太郎の夫婦が営む料理屋「きく屋」。常連の提案で、大切な人との思い出の味を再現した料理を出すことに。それには思いもよらぬ力があり――。
く4 14

知念実希人
幻影の手術室　天久鷹央の事件カルテ　完全版
手術後のオペ室で医師が死亡した。その容疑者は……鴻ノ池!?　部下の窮地に天久鷹央が動き出す。書き下ろし掌編「鴻ノ池の笑顔」収録の完全版。
ち1 202

知念実希人
密室のパラノイア　天久鷹央の推理カルテ　完全版
誰も入れない密室で起きた「溺死」。病院理事長の息子は、なぜ不可解な死を遂げたのか……？　書き下ろし掌編「小鳥遊先生、さようなら」収録の完全版。
ち1 103

葉月奏太
癒しの湯　純情女将のお慰め
雪景色を眺めながら、吾郎は列車に揺られていた。突然、札幌に転勤になったのだ。10年ぶりに訪れた温泉旅館には、あの純情美人女将が…。大人気温泉官能！
は6 16

南　英男
夜の罠　捜査前線
殺したのは俺じゃない！――元マル暴で警視庁捜査一課警部補の有働力哉が目覚めると、隣には女の全裸死体が。殺人容疑者となった有働に罠を掛けた黒幕は!?
み7 32

睦月影郎
美人母娘の蜜室
大学生の文夫に憧れの先輩と懇ろになるチャンスが来た。期待に胸を膨らませ部屋に向かう途中、彼女がその場に立ちすくむ。そこには二人の美女がいて……。
む2 19

実業之日本社文庫　好評既刊

赤川次郎
哀しい殺し屋の歌
「元・殺し屋」が目を覚ましたのは捨てたはずの実の娘の屋敷だった。新たな依頼、謎の少年、衝撃の過去――。傑作ユーモアミステリー！（解説・山前 譲）
あ1 14

赤川次郎
演じられた花嫁
カーテンコールで感動的なプロポーズ、でも……ハッピーエンドが悲劇の始まり!?　大学生・亜由美に事件はおまかせ！　大人気ミステリー。（解説・千街晶之）
あ1 15

赤川次郎
明日に手紙を
欠陥のある洗濯機で、女性が感電死。製造元のK電機工業は世間から非難を浴びる。そんな悪い状況から抜け出すため、捏造した手紙を出す計画を提案する…。
あ1 16

赤川次郎
綱わたりの花嫁
結婚式から花嫁が誘拐された。しかし、攫われたのは花嫁のふりをしていたアルバイトだった!?　シリーズ第30弾、長編ユーモアミステリー（解説・青木千恵）
あ1 17

赤川次郎
幽霊はテニスがお好き
女子大生のさと子は、夏合宿のため訪れた宿で嫌な気配を感じる。その原因とは……。赤川ミステリーの魅力が詰まった全六編を収録。（解説・香山二三郎）
あ1 18

赤川次郎
花嫁をガードせよ！
警察官の仁美は政治家をかばい撃たれてしまい、その怪我が原因で婚約破棄になりそう。捕まえた犯人は取り調べ中に自殺をしてしまい――。シリーズ第31弾
あ1 19

実業之日本社文庫　好評既刊

赤川次郎
忘れられた花嫁
結婚式直前に花嫁が失踪。控室では、その花嫁が着るはずだったウエディングドレスを着て見知らぬ女性が死んでいた!? 事件の真相に女子大生の明子が迫る！
あ1 20

赤川次郎
花嫁は迷路をめぐる
モデルとして活躍する姉の前に死んだはずの妹が現れた!? それと同時に姉妹の故郷の村役場からは2000万円が盗まれ――。大人気シリーズ第32弾！
あ1 21

赤川次郎
花嫁は歌わない
亜由美の親友・久恵が、結婚目前に自殺した。殿永刑事から、ある殺人事件と自殺の原因が関係していると聞いた亜由美は、真相究明に乗り出していくが……。
あ1 22

赤川次郎
花嫁は三度ベルを鳴らす
東欧を旅行中だった靖代は、体調を崩して亡くなってしまう。異国の地だったが埋葬されることに。その地には奇妙な風習があり――。大人気シリーズ第33弾。
あ1 23

赤川次郎
逃げこんだ花嫁
女子大生・亜由美のもとに少女が逃げて来た。年上の男と無理に結婚させられそうだと言うのだ。なんと男の年齢は――。人気シリーズ、ユーモアミステリー
あ1 24

赤川次郎
霧にたたずむ花嫁
濃霧の中、家路を辿っていた朋代。不穏な気配を感じて逃げようとするが、追い詰められてしまう。偶然にも居合わせた男性に助けられるが、その男性は――。
あ1 25

実業之日本社文庫 あ 1 26

七番目《ななばんめ》の花嫁《はなよめ》

2023年12月15日　初版第1刷発行

著　者　赤川次郎《あかがわじろう》

発行者　岩野裕一
発行所　株式会社実業之日本社
〒107-0062　東京都港区南青山6-6-22 emergence 2
電話 [編集]03(6809)0473 [販売]03(6809)0495
ホームページ　https://www.j-n.co.jp/
印刷所　大日本印刷株式会社
製本所　大日本印刷株式会社

フォーマットデザイン　鈴木正道(Suzuki Design)

ISBN978-4-408-55846-2（第二文芸）